COLLE

Albert Memmi

Agar

Gallimard

Albert Memmi, l'auteur du *Portrait du colonisé*, est professeur à l'université de Paris X. Il a été vice-président du Pen Club (1973-1979) et vice-président de la Fédération internationale des écrivains francophones (1984). Son œuvre, publiée dans une vingtaine de pays, a obtenu le prix de Carthage (Tunis), le prix Fénéon (Paris) et le prix Simba (Rome).

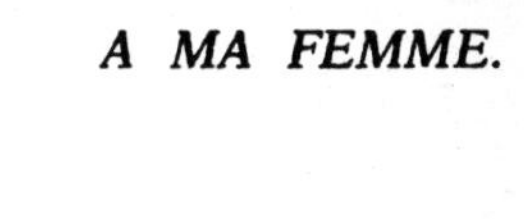

A MA FEMME.

« Or Saraï, femme d'Avram, ne lui avait point donné d'enfants. Elle avait une servante égyptienne, nommée Agar... »

(Genèse, 16, 1)

PRÉFACE
À L'ÉDITION 1963

« Agar » *est celui de mes livres qui a été le moins bien compris. On a voulu y voir l'histoire d'un amour condamné, en quelque sorte par définition : J'aurais jeté l'anathème sur tous les mariages mixtes. Faut-il croire que l'accord est à jamais impossible entre un homme et une femme qui ne sont pas du même sang ou simplement du même ciel ? Ce serait faux, inhumain et rétrograde.*

Je pourrais me contenter d'une facile défensive : Eh quoi, aurais-je répondu, c'est une simple histoire, un cas singulier. « Agar » *est d'abord un récit, en effet, l'histoire d'un homme et d'une femme qui souffrent l'un par l'autre. Le déroulement de ce récit pour atteindre son but, celui de se saisir de l'attention du lecteur et de lui communiquer une émotion d'une certaine nature et qualité, obéit à des exigences précises. J'ai eu plaisir à m'y soumettre aussi strictement que possible, de donner à mon histoire un commencement et une fin, et tout le long une tension croissante. Les héros échouent il est vrai dans leur entreprise de bonheur. Et l'on peut discuter de savoir si j'ai bien fait de commencer comme j'ai commencé et de finir comme j'ai fini : on peut affirmer par exemple que cette émotion aurait été mieux communiquée avec une conclusion moins déchirante. Mais tout cela ne* prouve *rien. La première ambition de ce livre fut d'être un travail achevé.*

Cette réponse, qui est vraie, serait pourtant mensongère. Je me refuse à croire qu'une œuvre d'art soit seulement une forme, aussi parfaite soit-elle. Avec ou sans le consentement de l'auteur, une histoire dépasse en signification les aventures singulières des héros. Oserais-je dire davantage ? Je ne crois pas qu'il existe réellement de psychologie sans société, ni société sans conception générale du monde. Je ne pense pas du tout certes qu'un romancier doive nécessairement glisser dans ses livres son opinion sur la situation politique du moment ou sa manière de comprendre l'histoire. C'est là une exigence absurde qui a été néfaste à beaucoup d'écrivains. Mais je suis persuadé qu'un écrivain probe dans son travail — et cette probité n'est pas une concession à la morale, elle est le mouvement naturel de tout écrivain véritable — je suis persuadé qu'un écrivain se dévoile à chaque ligne qu'il trace, et dévoile le monde par la même occasion.

« Agar » *n'est pas une étude sur le mariage mixte, mais l'histoire de deux êtres, un jeune médecin Juif et Tunisien et une jeune étudiante Catholique et Française, qui se sont mariés à Paris et s'installent à Tunis. Il leur arrive des aventures singulières, qui auraient pu ne pas leur arriver, du moins comme elles leur sont arrivées. Mais je reconnais aussitôt que la question posée sub-*

siste : quelle est la signification, les dimensions d' « Agar », *avec ou sans mon consentement ?*

Ce sont celles-ci : une femme et un homme de civilisations, de cultures, de nationalités différentes peuvent-ils vivre ensemble ? Et, par-delà les individus, les groupements humains, si différents par leurs langues, leurs traditions et leurs intérêts, peuvent-ils cohabiter en paix, et même espérer un jour former réellement une seule et immense communauté ? Les aventures de Marie et du héros, essayant de se connaître et de s'aimer malgré leurs différences, constituent un symbole, un exemple privilégié de ce drame plus ample, de ce terrible problème de la communication, si aigu aujourd'hui, parce que nous sommes tous projetés hors de nos histoires locales, confrontés avec l'histoire de tous les hommes.

Or qu'arrive-t-il à nos deux héros ? Ils ne cessent de souffrir, de se meurtrir jusqu'à l'affolement. Serait-ce donc que la communication serait vouée à l'échec, entre les individus et entre les peuples ?

Il existe on le sait deux attitudes à propos de cette question lancinante : Pour ceux que l'on appelle mettons les traditionalistes, il y a impossibilité en effet. On n'épouse pas un Juif, on n'épouse pas un Musulman, inversement on n'épouse pas une Chrétienne ; les rapports humains sont basés sur la méfiance, et l'union entre deux individus appartenant à deux groupes différents est d'avance condamnée. Pour ceux qui sont plus optimistes, qui font confiance à la nature humaine et qui croient au progrès des sociétés, la communication entre les êtres et les peuples va de soi. Eh bien, l'une des significations d' « Agar » *est que cette commu-*

nication ne va pas de soi. *Mais cette analyse, loin de rejoindre les positions traditionalistes, de méfiance et de pessimisme, s'inscrit au contraire dans une perspective de libération et d'ouverture aux autres.*

La communication entre un homme et une femme ne va pas de soi parce qu'elle n'est pas, précisément, pure affaire de psychologie, de caractères ou de tempéraments, mais parce qu'elle passe par leurs cultures respectives. Les refus de Marie, en arrivant au pays natal du héros, son incompréhension, son mépris même, ne pouvaient qu'être insupportables au jeune médecin, parce qu'il appartenait à une culture et à un peuple infériorisés et dominés ; fut-il lui-même un intellectuel et décidé à se placer sur le plan de l'universel. Mais j'ai essayé de montrer aussi que les difficultés ne sont pas imputables seulement à la jeune femme, représentante d'une civilisation et d'un pays triomphant. La soumission progressive du héros à des rites, à des gestes, que lui-même juge périmés, ne peut qu'empêcher davantage la réussite de son union avec Marie. Mes héros échouent parce qu'ils ont manqué, tous les deux, de force et de liberté ; parce que l'héroïne n'a pas été assez ouverte et généreuse, parce que le héros n'a pas été assez courageux, assez révolutionnaire.

Loin de décrire une fatalité, « Agar » *énonce en vérité les conditions d'une libération. Mais une libération n'est jamais gratuite et il vaut mieux en connaître le prix exact. Tout mariage est une entreprise difficile, mais le mariage mixte est plus difficile encore. Le retour à des traditions périmées, le refuge dans un passé vermoulu, ne sont pas compatibles avec ce grand élan actuel vers la liberté. La libération politique, à laquelle aspirent aujourd'hui tous les hommes, doit s'accompagner d'une libération intérieure, c'est-à-dire, oui, de la séparation du laïque et du religieux, de la fin de l'esclavage féminin, de la suppression des quartiers « pittoresques », etc. Car si c'est une folie d'ignorer le poids de nos groupes respectifs, c'est une lâcheté et une démission d'accepter leurs préjugés. Inversement, si les peuples d'Europe, et d'Amérique, veulent sauver leur communication avec les peuples ex-colonisés, et tous les groupes qu'ils dominent, il faut qu'ils cessent de croire sincèrement qu'il n'y a de goût, de sensibilité que les leurs, qu'ils abandonnent définitivement l'idée qu'ils peuvent être les maîtres d'une autre destinée que la leur. L'oppression et le mépris de peuple à peuple, de classe à classe, de groupe à groupe, sont littéralement invivables pour l'homme, et ne peuvent aboutir qu'à la révolte, au conflit et à la mort.*

A ces conditions près, oui le mariage mixte est souhaitable, afin que soit enfin possible la fraternité entre les peuples. Au-delà du divertissement, « Agar » *est en effet un essai de dévoilement des conditions négatives de cette double réussite.*

A. M.

PRÉFACE DE 1984

Lorsque ce récit parut, il y a deux décennies, il n'obtint qu'un succès de curiosité : à cause de son exotisme, le sujet n'intéressait que médiocrement le public français.

Il en fut différemment aux Etats-Unis, où l'éditeur américain en vendit 150 000 exemplaires, principalement en format de poche il est vrai. C'est que, dans ce pays d'immigrants, venus de tous les points du globe, le mariage mixte est une réalité qui concerne tous les groupes en présence.

Cette nouvelle édition française survient alors que la France compte quatre millions d'étrangers légaux. Si l'on y ajoute les naturalisés récents, les enfants d'immigrés, leurs alliés et leurs conjoints précisément, on découvre que la société française doit faire face à des problèmes pour elle inédits : comment cohabiter avec tous ces gens venus d'ailleurs ? Comment intégrer, si rapidement, tant d'habitudes, rituelles et mentales, des manières d'être, différentes quelquefois jusqu'à l'étrangeté ? Comment, également, ces communautés compactes de transplantés, réagiront-elles à l'ambiguïté, à leur égard, de la communauté d'accueil ?

*Le couple mixte, légal ou non, est l'une des réponses à ce double bouleversement, et bien qu'il risque de recueillir en son sein l'écho de ces tempêtes collectives. Dans un autre contexte, pas si éloigné puisqu'il s'agit de l'Afrique française, les personnages d'*Agar*, vivent en somme la même aventure. De sorte que, par un paradoxe inattendu, ce récit est devenu plus actuel que lors de sa première parution.*

D'où cette autre conséquence : loin d'appartenir au passé, ces héros sont devenus très modernes.

Il arrive de plus en plus, en effet, que certains êtres se trouvent appartenir à deux mondes. Le premier, le plus ancien, le plus profond en eux, leur semble cependant moins attirant que le second, plus récent mais plus fascinant.

Il arrive même que, pour comble de malchance, ces deux univers soient en conflit, ce qui n'adoucit évidemment pas leur tourment. Pour atténuer leur tumulte intérieur, pour tenter d'apprivoiser leur double, ces hommes, et ces femmes, croient pouvoir trouver, dans la fusion amoureuse, la réconciliation avec eux-mêmes. Hélas, on est toujours deux, comme on est toujours double.

Qu'on n'y voie pas un pessimisme excessif. Le couple est la chance de l'être humain, et peut-être de l'animal, je le pense fortement. Nous ne pourrions guère vivre sans ces multiples relations de dépendances réciproques, qui forment la trame de notre existence. Mais tout duo est aussi une permanente et difficile négociation ; le duo parents-enfants, le duo avec Dieu comme le duo amoureux. Sinon, c'est le conflit et la guerre, autre grande issue du commerce humain, laquelle n'est tout de même pas préférable...

*En tout cas, pour nous en tenir à notre propos, qui n'aperçoit pas ce destin éclaté, par suite de l'extraordinaire et inédite agitation qui s'est emparée de l'espèce humaine, cette permanente, douloureuse et enrichissante confrontation, qui sera, est déjà partagée par un nombre grandissant d'hommes et de femmes? Les personnages d'*Agar, *une Française d'origine catholique et un Tunisien d'origine juive, en sont les précurseurs.*

Paris – août 1984

I

Dès l'entrée du canal je fus incapable de cacher mon anxiété. Marie, au contraire, était d'humeur enjouée ; excepté le séjour en Allemagne, elle n'avait jamais voyagé, jamais vu la mer ailleurs qu'au cinéma. Je l'écoutais à peine, ne répondant que par monosyllabes. Comment allait-elle juger les miens ? si différents d'elle par les mœurs, la religion, la langue... J'étais moins inquiet de leurs réactions. Je regardai Marie ; elle avait la figure empourprée ; j'eus du remords de n'avoir pas prévu que sa peau ne supporterait pas notre soleil. Appuyée au bastingage elle découvrait la ville qui s'avançait vers nous, se précisant rapidement.

— Viens par ici, lui dis-je, allons à l'ombre.

— Cela ne me dérange pas, j'aime bien le soleil...

Je l'interrompis avec une netteté qui nous surprit tous les deux.

— Ce n'est pas le soleil d'Alsace ! Nous sommes en Afrique maintenant, tu vas être malade.

Elle obéit sans rien ajouter, puis me sourit avec

indulgence. Elle m'avait deviné et je lui en fus reconnaissant.

Nous avions dépassé les repères de pieux rouges et les cabanes en feuilles de palmier confondues à la poussière. Nous entrâmes dans le calme du bassin où fondaient les vagues jaunes, alourdies d'huile et de boue. Lentement nous nous approchâmes des quais, qui chancelèrent, montèrent obliquement vers nous, descendirent, ne bougèrent plus enfin. De la rumeur confuse perçaient, de part et d'autre, des coups de sifflet, des questions absurdes pour ceux qui émergeaient d'un autre monde ; mais on répondait avec naturel, le contact était affectueux, immédiat.

— Où est ton chapeau ? Mets ton chapeau !

— Diana ? Où est Diana ?

— Elle tra-vai-lle !...

Je surveillais ma femme. Cet enthousiasme collectif, où je plongeais à chaque retour sans y penser, devait lui paraître comique. Mais elle semblait à peine curieuse, passive, attendant sagement le moment de débarquer. Je cherchai dans la foule anonyme, je savais qu'ils seraient tous là malgré mes réticences.

Ah ! les voilà ! A l'ombre d'une montagne de sacs, des foulards rouges sur la tête, mes tantes et ma mère, la tante Noucha, lourde, soudée au sol, ma mère et la tante Gina, maigres, le cou tendu, mon père, immobile et inquiet, mes frères et sœurs adolescents, embarrassés d'eux-mêmes, les neveux, une portée d'enfants toujours nouveaux, que je n'arrivais jamais à nommer. Ils ne nous voyaient pas encore. Les enfants allaient et venaient comme de jeunes chiens, secouant leurs mouchoirs au hasard, les bras indécis. Tout à coup, l'un d'eux sauta sur place et cria ; le déclic se communiqua : tous se mirent à s'agiter et battre l'air : ils nous avaient découverts. Leur joie me fit plaisir. Je remuai la main avec retenue, et j'aidai Marie à les trouver.

— Tiens, regarde là-bas... au deuxième tas de sacs... les foulards rouges...

Les enfants s'étaient précipités, entraient résolument dans la zone de soleil qui maintenait la foule ; ils avancèrent jusqu'au bord et, timides et effrontés, allongèrent le cou pour examiner Marie.

Le soleil faiblissait, autorisait les couleurs à revivre lorsque nous traversâmes enfin les passerelles. Les adolescents nous prirent les valises avant de songer à nous embrasser. Les adultes vinrent au-devant de nous, hésitants, chacun préférant laisser les autres nous affronter. Mon père enfin, chef de famille, s'avança, raide d'émotion. Ses rides gonflaient mollement et sa lèvre inférieure se relâchait ; il avait encore vieilli. Je l'embrassai.

— Comment vas-tu, lui demandai-je ?

Ma mère, aussitôt, se retrouvant en terrain connu, se précipita :

— Ah ! le pauvre ! cet hiver... personne n'a voulu te l'écrire... il a été si malade...

— Laisse-le maintenant, coupa mon père, agacé.

Je lui sus gré de m'éviter un récit pénible et sans surprise. Les autres, enhardis, nous entourèrent. Les femmes, chacune à son tour, se mirent avec précaution à embrasser Marie, docile et souriante ; après le baiser, elles l'examinaient de la tête aux pieds. A son tour ma mère évalua méthodiquement la femme de son fils, la figure, les cheveux, les dents, la taille... Je cherchai le regard de Marie pour m'excuser de cette inspection. Elle était heureusement trop occupée.

Nous nous dirigeâmes enfin vers la sortie du port, Marie me serrant étroitement le bras. Je me sentis gauche, sans mes bagages qui me pesaient encore dans les muscles.

— Nous allons prendre une calèche, annonça fièrement mon père.

Juste avant de se hisser sur la banquette, la tante Noucha me fit une rapide confidence :

— Compliments ; tu as très bien choisi.

Cela me fit tout de même plaisir. Au passage je cherchai à signaler à Marie les curiosités de la ville ; à mon étonnement je m'aperçus qu'il n'y en avait pas.

— Nous traversons la ville neuve, lui expliquai-je, il n'y a rien d'original. La vieille ville est belle, tu verras.

Nous arrivâmes dans la rue où habitaient mes parents, mon père fit approcher la calèche exactement devant la porte d'entrée. Alertées par le bruit de la manœuvre, les têtes apparurent aux fenêtres : on attendait le retour de l'expédition. Ma mère et mes tantes répondirent en criant aux interpellations, toutes fières de leur équipage. Brusquement, de la fenêtre du second, explosa un youyou, aussitôt étouffé. Le temps de lever la tête et de voir disparaître la vieille Liscia, anachronique et incorrigible, arrachée par une force inconnue, comme une marionnette. Ses enfants avaient dû intervenir vigoureusement.

Mon père alla payer le cocher.

— Cent francs ! hurla l'autre, cent francs ! six personnes et les bagages !

— Ne crie pas, dit mon père avec la même violence instantanée, c'est le prix de la course.

— Le prix ! Le prix ! pour une course, oui, pas pour un chargement de dix tonnes !

— Les veux-tu, oui ou non, ces cent francs ? cria mon père, vexé et réellement furieux cette fois.

— Non, beugla le cocher, garde-les !

Et tirant sur les brides à déchirer la gueule de ses chevaux, il s'escrimait à leur faire faire demi-tour.

Marie suivait la scène avec intérêt ; je l'entraînai. Arrivés au deuxième étage, devant le seuil, nous fûmes reçus par de frénétiques youyou qui firent sursauter ma femme. Puis par la porte, laissée grande ouverte, commencèrent à entrer lentement, un sourire de fête aux lèvres, nos parents, amis et voisins et chacun m'embrassait et embrassait Marie. Ma mère nous installa sur le canapé, au milieu de tous, et comme ils étaient très nombreux, toutes les chaises se trouvaient occupées, ils faisaient tapisserie et débordaient jusque dans le couloir. On alluma la radio et tout le monde bavardait en nous regardant. J'eus peur que Marie ne se sente isolée de moi par cette foule et ce brouhaha et je me mis à lui parler, criant aussi à cause du bruit. Ne sachant quoi lui dire je m'efforçais de lui expliquer avec pédanterie tout ce qu'elle voyait, l'utilité de la gargoulette qui transpirait sur la toile cirée de la table, la composition et le nom des gâteaux, la nature de la liqueur blanche qui nous attendait... Elle semblait faire effort pour fixer son attention et j'arrivais à peine jusqu'à son sourire un peu immobile, comme si elle se trouvait de l'autre côté d'une vitre. De temps en temps, pour rassurer les autres, j'adressais à l'un d'eux une remarque en patois et leurs visages s'épanouissaient.

Il se fit un grand remue-ménage dans le couloir, puis, poussant devant elle son ventre toujours volumineux entra ma sœur aînée, en peignoir et pantoufles de velours noir fleuri de roses. Les jours de fête, et notre arrivée était jour de liesse, elle s'habillait ainsi magnifiquement. Nous découvrant de loin, elle repoussa sa grappe d'enfants, bouscula d'autorité la foule et se précipita. Elle s'arrêta devant Marie, la regarda avec un étonnement émerveillé :

— Oh ! qu'elle est blonde ! qu'elle est distinguée !

Elle l'embrassa sur une joue, puis sur l'autre.

— Ah toi ! je t'embrasse aussi !... Qu'elle est blonde ! tu en as du goût !

S'adressant à l'assistance :

— Dites qu'elle n'est pas la plus jolie, la femme de mon frère !

Tout le monde rit. Elle envoya une bourrade agacée, à peine, à son plus jeune qui se pendait à son beau peignoir, puis sans transition, soudain sérieuse :

— Tu ne repars plus ?

De sa part la question ne m'irritait pas.

— Jamais plus, dis-je avec emphase.

— Ah ! vous voyez ! triompha-t-elle. Pourquoi dessiner le diable au mur ? Pourquoi dites-vous le contraire ?

Les autres parurent gênés. Rassurée, elle changea encore de physionomie et de ton.

— Alors, tu es médecin ?

— ... oui.

Elle se tourna réjouie vers l'assistance.

— Eh ! C'est un docteur ! Ma chère ! Nous avons un docteur dans la famille... Et j'espère, conclut-elle, que tu vas nous soigner. On n'aura plus besoin de ces voleurs de médecins !

Marie riait de bon cœur et cela me fit plaisir de la voir à l'unisson.

— Elle est drôle, n'est-ce pas ? insistai-je.

Mon père, ayant réglé l'incident du cocher, apparut enfin. Il regarda la table et dit sévèrement :

— Et les limonades ? Et la bière ? Ah, ces femmes !

— Nous t'attendions, dit ma mère, elles auraient été chaudes ! Que Dieu t'éclaire !

— Chaudes ! Et la glace ! Vous n'avez pas acheté de glace ? Ah, ces femmes !

Ma mère triompha :

— J'ai pensé à tout ! Nini, va chercher de la glace !

Mon plus jeune frère alla chercher une bassine de zinc où se trouvait un énorme ballot enveloppé d'un vieil imperméable. Il défit le vêtement et un demi-pain de glace apparut, tout nu. Nini le posa à terre et armé d'un couteau et d'un pilon se mit en devoir de le débiter en quartiers absorbables, sourd aux protestations de l'assistance qui recevait des ricochets glacés.

Mon père présenta le plat de gâteaux à ma femme ; elle le regarda avec méfiance, hésita entre les pâtes d'amandes, rouges, vertes et blanches, les croquettes de pois chiches, les rubans de pâte au miel, puis se décida.

— Non merci... je préfère boire.

Elle avait très faim, je le savais, mais elle attendait le café au lait, traditionnel chez les siens. Les regards de tous qui, à ce moment, s'étaient concentrés sur Marie, montrèrent une déception profonde. Tout le monde s'en mêla, insistant, persuasif.

— C'est très bon, très bon, goûtez, prenez un halqoum, une guisada, un rouh-el-bey...

Marie résistait, un peu perdue, à cette pression de tous, ne sachant comment se défendre.

— Je n'ai pas faim... Je vous assure... La fatigue du voyage...

Je vins à son secours, et attirant l'assiette j'y puisai généreusement, bien plus que je n'en avais envie. Mais ce n'était pas ce qu'ils espéraient ; ils voulaient voir manger l'animal inconnu.

— Prends n'importe quoi, lui glissai-je, grignote...

Elle choisit une guisada, le gâteau qui lui parut le moins sucré. Alors soulagés, ils se servirent et les bouches se mirent en mouvement.

Lorsque les assiettes et les bouteilles furent vides, les visiteurs se levèrent et félicitèrent encore mes parents. Ma mère chassa les derniers avec bonhomie et nous restâmes seuls avec mon père et ma mère. Elle nous annonça, comme une affaire réglée, que nous occuperions leur propre chambre à coucher. Je protestai et demandai son avis à Marie ; fatigue ou dépaysement, elle accepta sans objections. Ils y avaient fait de grandes transformations que je ne pouvais ne pas remarquer. Les vitres étaient au complet, la tapisserie neuve et le lit recouvert d'un drap blanc ; un vase rempli de plumes de paon remplaçait les multiples objets qui encombraient la commode. Ma mère me laissa jouir du coup d'œil puis, arborant un sourire mystérieux, me prit par le bras :

— Et maintenant, venez voir.

Elle nous conduisit à un réduit qui servait de débarras et, solennelle, ouvrit la porte : ils avaient installé une douche et un lavabo. Mon père suivait et, tous les deux, ils nous épiaient, comme des enfants qui, ayant préparé une surprise, attendent qu'elle soit découverte pour sauter et battre des mains. C'était un effort vraiment considérable et je me devais de les féliciter chaudement ; et comme Marie, non avertie, ne montrait pas d'enthousiasme particulier, j'en manifestai pour deux.

Enfin ils nous raccompagnèrent à notre chambre, puis se retirèrent. Mon père, cependant, semblait hésiter sur le seuil. Je sortis et tirai la porte derrière moi.

— Qu'y a-t-il ? lui demandai-je.

Il écarta ma mère d'autorité :

— Laisse-nous, ordonna-t-il.

Il jeta un coup d'œil pour vérifier que Marie avait disparu, et subitement humble, anxieux :

— Puis-je te demander quelque chose ?

— Bien sûr, dis-je étonné.

Depuis l'époque où il a cessé d'ordonner, mon père n'a plus jamais su me parler. Peut-être, d'instinct, avait-il découvert le seul moyen de conserver un peu une autorité devenue théorique.

— ... Alors... mon fils... tu ne... vous ne repartez plus ?... C'est bien vrai... ?

Il bredouillait. J'eus le sentiment, pour la première fois aussi complet, de ma toute-puissance.

— Non, répondis-je, essayant de me faire plus décidé que je ne l'étais, non, nous nous installons ici.

Alors il eut un geste qu'il n'avait jamais eu, parce que nous n'avions pas l'habitude de ces abandons. Il m'entoura les épaules de son bras et laissa aller sa tête contre ma poitrine, comme épuisé. Je découvris avec stupéfaction que j'étais plus grand que lui ; et comme si j'étais le père et lui le fils, je me sentis en devoir de le rassurer, de le protéger.

— Ne t'inquiète plus, tu n'as plus rien à craindre, je reste ici.

Et je le laissai, parce que je sentais dans ma poitrine cette émotion bizarre, faite de triomphe et de faiblesse, de trop facile réconciliation avec moi-même.

Marie, dans la chambre, avait défait les valises et restait debout, embarrassée. Elle avait ouvert successivement tous les tiroirs de la commode et de l'armoire à glace. Tout était plein jusqu'à la gueule de vêtements d'hiver. La générosité spontanée de ma mère ne se nuançait pas de prévoyance. Marie referma ses valises et essaya de les caser sous le lit ; elles heurtèrent un troupeau de chaussures. J'allai appeler ma mère.

— Oh ! mes pauvres enfants ! s'exclama-t-elle, je vais arranger ça tout de suite !

Elle vida deux tiroirs sur la table puis, armée d'un balai, elle expulsa tous les souliers de dessous le lit, les traîna jusqu'à la salle à manger, et là les refit glisser sous le canapé.

Marie s'était remise à sa tâche. Inutile, je m'assis au balcon. Le crépuscule venait, la voix des radios arrivait étouffée, la rue abandonnée par les enfants se recueillait pour la nuit. En somme, tout s'était bien passé ; cette rentrée n'avait rien eu de terrible ; j'étais heureux de retrouver le calme des soirs d'été, ces bruits humains alanguis et familiers. Au fond, je ne m'étais jamais habitué aux trépidations des moteurs parisiens, aux rythmes harassants des machines jusque dans le sommeil.

Je suppose que je rêvais ainsi un long moment d'oubli, assoupi de chaleur et de fatigue, distrait de Marie, lorsque je m'aperçus que je ne l'entendais plus.

Pourquoi cette inquiétude soudaine comme une douleur avant de découvrir que, silencieusement, elle pleurait ? Je n'eus pas besoin de réfléchir, non plus, pour lui prendre la tête entre mes mains, et déjà bouleversé :

— Fais-moi confiance, implorai-je, tu verras : je veillerai à ce que tu ne souffres pas.

Malgré ma volonté d'être aveugle, de faire confiance à notre destin, elle leva sur moi un regard si reconnaissant que j'eus presque peur.

II

Pour obtenir le titre de Docteur en médecine de la Faculté de Paris j'avais décidé de terminer mes études dans cette ville. Mal m'en prit : j'y trouvais de telles difficultés, logement précaire, nourriture insuffisante, ciel oppressant de brumes constantes, que je fus malheureux et mon travail s'en ressentit. En vérité je ne pouvais plus faire un nouvel apprentissage de la solitude dans une ville inconnue. J'étais rassasié de dépaysement, de chambres d'hôtels, de cuisines insolites et de visages provisoires ; sans me l'avouer tout à fait, je désirais rentrer m'installer dans ma ville natale.

Mon corps n'était pas moins las que mon courage : deux mois après mon arrivée, surpris par l'hiver, mal vêtu, mal chauffé, je m'alitai avec une mauvaise grippe. Ces premières journées de maladie furent interminables d'esseulement et d'ennui. Je priai la bonne de l'hôtel de me préparer une boisson chaude. Elle grogna tant que je n'osai plus le lui demander. Et le troisième jour, ma provision de biscottes et de figues sèches épuisée, grelottant de froid dans une chambre où des glaçons germaient sur les vitres, je finis par descendre les trois étages pour téléphoner à des camarades.

L'après-midi, deux étudiants vinrent me rendre visite, accompagnés d'une jeune fille que je ne connaissais pas. La précision de son regard bleu-gris, les cheveux blonds taillés courts sur une nuque dégagée, le corps mince non complètement éclos lui donnaient un air décidé, heureusement adouci par la timidité du geste et l'harmonie du visage. Les hommes bavardèrent entre eux jusqu'à m'en fatiguer, elle, n'ouvrit pas la bouche. Mais le lendemain, chargée de provisions et d'un petit réchaud, elle frappait à ma porte. Elle me prépara un bouillon, refit mon lit et mit de l'ordre dans la pièce, jugeant sévèrement le travail de la bonne. Elle revint le lendemain et le surlendemain. Je pus apprendre, malgré son mutisme, qu'elle s'appelait Marie Müller, qu'elle était Française de l'Est, faisait de la chimie et logeait à la Cité Universitaire.

Lorsque je pus me lever, nous étions assez amis pour qu'elle acceptât de déjeuner souvent avec moi. En échange, elle me fit promettre une régularité alimentaire dont je n'avais jamais eu cure ; sur ses conseils, je postulai une chambre à la Cité Universitaire ; et je ne pus lui refuser mes chemises à repasser. Outre la justesse des sentiments et des idées, elle me découvrit des qualités ménagères, un goût de la responsabilité, que je n'avais guère connus chez moi et qui m'attachèrent à elle autant que son exquise et discrète féminité. Je finis par lui obéir en tout avec plaisir, soulagé du souci d'organiser ma vie à Paris.

Nous nous donnions rendez-vous, à la fin des cours, dans un couloir de la Faculté des sciences. Venant de plus loin, j'arrivais après elle et la trouvais patiente, les mains dans les poches de son pantalon de ski bleu marine qui l'amincissait encore, serrée dans une pelisse courte, coiffée d'une calotte en laine de couleurs vives. Sans être précisément une femme grande, sa sveltesse, l'habit viril, les cheveux dont on ne voyait que quelques mèches en faisaient un très délicat éphèbe. Je me hâtais dans la longue galerie et dès que je l'apercevais mon cœur bondissait de joie. Et quand j'obtins ma chambre à la Cité, nous nous vîmes tous les jours, nous déjeunions et passions nos loisirs ensemble. Du seuil de la salle basse du restaurant universitaire je la cherchais du regard. La main levée elle attendait qu'elle fût découverte pour me faire signe. Je la regardais, tache claire dans la pénombre, au milieu des étudiantes négligées, mal coiffées, et j'allais vers elle comme vers un calme bonheur.

Non qu'elle ne me parût un peu dépaysante. Mais j'aimais, précisément, qu'elle fût si différente des femmes de chez moi, femmes-enfants au charme sans mystère. Elle avait coupé, nous expliqua-t-elle, ses longs cheveux avant de gagner le camp de travail allemand : il me plut qu'elle ait été, comme moi, victime des Nazis. Elle refusa aussitôt l'équivoque : les Alsaciens-Lorrains furent considérés comme des Allemands, soumis aux mêmes devoirs et bénéficiaires des mêmes droits; ils ne pouvaient, sans outrance, se poser en victimes. J'aurais préféré, certes, qu'elle en fût ; j'aurais même accepté qu'elle mentît un tout petit peu devant la tablée de nos camarades. Mais comment ne pas rendre hommage à la nette franchise de la jeune fille au buste droit ? Non, précisait-elle, elle n'avait pas souffert dans ces camps ; elle parlait parfaitement l'allemand et ne fut jamais inquiétée par les oppresseurs. Ce dépaysement, ces inquiétudes fugitives ne résistaient pas à la tendre admiration que je lui portais, à l'ardeur généreuse aussi et à la vanité de mon âge. Minces tous les deux, proportionnés l'un à l'autre, nous formions, paraît-il, un beau couple, malgré nos contrastes, peut-être aussi à cause d'eux ; elle, très blonde, moi très brun ; elle si fille du nord, moi tant méditerranéen. Mes camarades, avec cette tranquille impudeur des étudiants, m'assuraient que *j'avais* la plus belle fille de la Cité. Je ne connaissais qu'elle à Paris, mais je n'eus plus besoin de personne et, jusqu'à la fin de ma thèse, la vie m'y sembla possible.

*

La nuit du Mardi gras une fête avait été organisée dans les grands salons de la Maison Internationale où les rivalités des gouvernements mettaient à notre disposition un luxe qui jurait avec le dénuement de chacun. J'ai rarement participé aux jeux des étudiants que je trouvais niais et d'une égoïste inconscience. Dans l'immense salle de bal, pavée de marbre noir et blanc, étrangement, je me sentis seul avec elle, au milieu de fantômes :

— Ici, lui dis-je, il n'y a que vous et les pierres.

Elle m'avoua éprouver à l'instant la même impression.

N'ayant pas d'argent pour boire assez, nous restâmes lucides au milieu d'une foule d'ivrognes et cela aussi nous unissait et nous séparait des autres. La fatigue de la veille, cependant, nous donnait une ivresse légère, suffisante pour nous rendre gais. Je disais n'importe quoi et arrivais parfois à être drôle. Complaisance ou bonheur, elle riait alors d'un rire à la fois enfantin et crispé qui pâlissait son visage rose ; et je lui étais reconnaissant de mon succès auprès d'elle. Enfin, étudiants sages qui n'avions pas l'habitude des fêtes prolongées, nous nous avouâmes que nous avions sommeil. Nous quittâmes le bal, traversâmes l'enfilade des salons isolés les uns des autres par de lourds rideaux et bientôt la foule fut comme évanouie dans le palais désert ; comme si, toute la soirée, nous avions été seuls, pleins de cette émotion heureuse qui nous autorisait à nous serrer les doigts.

Dehors la neige tombait, accumulant du silence sur les maisons et les arbres parfaitement immobiles. On ne pouvait gagner directement le pavillon réservé aux jeunes filles ; tous les soirs, nous devions quitter les jardins centraux et longer le boulevard extérieur pour rejoindre sa porte. Hors du bruit et des fumées, l'air froid dissipa notre envie de dormir et elle ne refusa pas une courte promenade de l'autre côté de la rue. Nous aimions déjà ce quartier vétuste, si tranquille qu'on ne pouvait s'y croire à quelques mètres de l'incessante ronde des voitures. Pour traverser je pris son épaule qu'elle m'abandonna sans résistance, mais elle se tut et moi aussi. Nous ne prêtâmes plus aucune attention aux vieilles villas similaires et irréelles qui défilaient sur une seule épaisseur ; le temps se ralentit, devint homogène et monotone. Et peut-être étions-nous passés par les mêmes ruelles plusieurs fois dans le même décor lorsque j'approchai ma tête de la sienne... elle se détourna et murmura :

— Non... mieux vaut pas.

Elle souriait, légèrement anxieuse. Je n'insistai pas et nous recommençâmes à laisser dérouler le lent film des villas. Quand nous nous arrêtâmes une autre fois, je l'embrassai.

Lorsque je pense à ces quelques mois, ces minutes de bonheur absolu, ils me paraissent inventés, abstraits de notre histoire. Je n'ai plus osé, depuis, repasser par les ruelles silencieuses, comme si fussent imaginés les escaliers minuscules, les vitres de couleur et le sommeil confiant de ce quartier anachronique, comme si j'avais peur de ne plus les retrouver et de perdre l'illusion que nous aurions pu être heureux... Et pourtant, cet instant si pur, si parfait, dont plus jamais nous ne retrouverons la simplicité, n'avions-nous pas déjà pressenti de quels tourments il pouvait être gros ?

Dix mètres plus loin, réfléchissant avec la lente et sûre marche de son esprit, elle me demanda, peut-être un peu effrayée :

— M'aimeriez-vous si... sérieusement ?

La question, d'abord, me vexa : si je l'aimais ! Puis sa gravité, sa confiance réfléchie, troublèrent le jeune homme étourdi, impulsif que j'étais ; elle réveillait des inquiétudes mal repoussées : elle était Française, d'Alsace, d'une famille catholique et attentive à ses pratiques, j'étais Africain et mécréant. Mais combien étions-nous loin d'évaluer le problème à sa juste mesure !

Je répondis avec quelque sécheresse :

— Est-ce que cela vous ferait peur ?

Elle serra mon bras.

— Plus du tout, murmura-t-elle.

*

Un des derniers soirs de l'année universitaire, un soir d'été déjà, nous paressions à la sortie du restaurant. Des groupes heureux se formaient dans le parc, bavardant ou chantant. Seuls quelques couples restaient solitaires, et nous étions à notre joie lorsque deux camarades forcèrent notre aparté pour nous annoncer leur prochain mariage. — Outre ses nombreux avantages, la Cité avait celui d'être une agence matrimoniale. — Nous les félicitâmes. Le jeune homme, voulant sans doute nous associer à son euphorie, nous dit en riant :

— Je suppose que, vous non plus, n'allez pas garder éternellement votre secret !

Marie rougit ; je trouvai l'intervention déplaisante. Mais il n'avait pas tort. Je n'avais fait, encore, aucune promesse ouverte à Marie ; pouvais-je tarder longtemps si je voulais continuer à l'aimer ?

Le lendemain, cependant, je lui annonçai mon intention de passer une partie des vacances chez mes parents : j'avais besoin de cette ultime confrontation : revoir les miens et mon pays natal avec, au cœur, l'image de Marie.

Elle quitta Paris un jour avant moi et je l'accompagnai à la gare de l'Est. Lorsque le train démarra, brusquement mes yeux se remplirent de larmes ; et il me sembla bien, malgré mes larmes qui déformaient son visage, les verres sombres que je mis précipitamment, et le mouvement du train, qu'elle pleurait aussi. Ce retour au pays natal sans Marie m'apparut subitement vain. Non qu'il me fût désagréable de revoir mes parents, de retrouver la mer et le ciel clair ; mais, sans elle, j'appréhendai une solitude d'une qualité nouvelle : je rentrai amputé, me semblait-il, d'une partie de moi-même : celle que j'avais cultivée durant ces années de séparation.

Jamais je ne me suis senti étranger comme cet été-là. Je ne connaissais plus personne. Les études médicales sont longues et les hommes de mon âge étaient presque tous pères de famille ; depuis longtemps ils avaient été chassés des plages, cafés et trottoirs par des générations toutes neuves. Je restai à promener mon ennui dans le désert de la ville, vide de tous visages. Au sein de ma famille, je ne pus, une fois de plus, que vérifier mon malaise. Mon père et ma mère s'obstinaient à chérir un adolescent que je fus à peine et, soupçonneux, amers, s'étonnaient à chacun de mes refus ; mes frères et sœurs, plus clairvoyants, devenaient de plus en plus respectueux et distants. Je sentis, qu'arrivé à l'âge adulte, un homme ne peut plus trouver une affection grave, une attache sérieuse au monde, que chez une femme et non plus chez ses parents ou des amis. Mais, après une telle absence, à quelle femme de chez moi pouvais-je encore m'intéresser ?

J'essayai bien, pour ne pas étouffer, d'écrire tous les jours à Marie. Je n'y trouvai même pas grand soulagement. Je pouvais ainsi bavarder de littérature ou de science, rappeler quelques potins de la vie estudiantine, mais d'elle, de nous, que pouvais-je dire sinon insister sur ma tendresse et sa beauté ? L'essentiel des lettres d'amoureux m'était interdit : je n'osais encore lui parler d'avenir et je ne pouvais évoquer le passé : nous n'en avions pas de commun. Bref, quinze jours après mon arrivée, j'avais la réponse à ma question. Mieux encore, comment expliquer qu'elle me parut la seule issue à mon aventure ? Que, désormais, je ne pouvais rentrer dans mon pays et retrouver les miens qu'avec Marie ?

III

Mon père, brutalement vieilli, m'attendait pour déposer ses responsabilités. L'artisan, si dur à l'ouvrage, s'était tassé, ses grosses mains blanchissaient et tremblaient, sa vue baissait ; et à notre étonnement, son mutisme qui nous avait semblé si redoutable se transformait en résignation. Deux mois avant mon retour, pour éviter toute discussion, il avait mis à exécution sa vieille menace : il avait cédé son magasin ; les conditions en furent médiocres mais lui parurent le comble de l'habileté financière. Maintenant il partageait son temps entre le café et de minuscules affaires que lui abandonnait l'oncle Maurice. Somme toute, quels que fussent mes affirmations et mes refus, il avait intégralement rempli son programme et se préparait à me passer son sceptre de bois blanc. Comme si, après ces longues années d'inquiétude, tout naturellement, je me présentais au rendez-vous :

— Maintenant, me dit-il, je peux mourir ; la famille ne risque plus rien.

Et, en échange, solennel et presque superbe, il ajouta :

— Maintenant, tout est à toi.

Le don de sa pauvre fortune, quelques vieux meubles et quelques ustensiles de cuivre et d'étain, ses outils et sa machine à coudre, m'émut. Cette confiance, où je voyais naguère un calcul et une chaîne, me semblait maintenant sans danger. Pouvais-je lui refuser mes conseils sollicités avec respect, la sécurité qu'il espérait tant de son fils aîné ? J'acceptais presque ce transfert de pouvoirs, dérisoire mais enfin légitime. Et, malgré moi, je commençais à m'inquiéter de l'âge d'Yvonne, la dernière à marier, et de la relative indépendance des adolescents que nous, les aînés, n'avions pas connue.

A peine quelque ironie sur moi-même. Avais-je donc tant vieilli ? Au souvenir de mes révoltes, de mes résolutions passées, je sentais, quelquefois, m'envahir le doute, le soupçon d'une défaite. Alors, je regardais ma femme, j'en étais toujours plus amoureux. Eh quoi ? n'était-elle pas là, preuve vivante de mon audace ? Sans elle, peut-être, ce retour aurait-il été un abandon ; épousant Marie je revenais les mains pleines de l'étrange fruit de ces lointaines contrées. N'avais-je pas le droit, maintenant, sans déchoir, de retourner dans mon pays quitté avec fureur, de me prêter avec indulgence à quelques gestes et rites naguère refusés ?

Pourtant une étrange pudeur m'empêcha, dès l'abord, d'avouer cette complaisance à Marie. J'espérais même naïvement qu'elle mettrait mon euphorie sur le seul compte de notre amour.

Nous terminions cette période qui fut aussi la plus belle de notre union. Je n'avais pas commencé à exercer et nous étions toujours ensemble. Au sortir de ce long tunnel que sont les études médicales je fus surpris de mon inculture et je me promettais des lectures nombreuses ; je n'en trouvai pas le temps. Notre vie de couple, la découverte de nos jeunes corps nous absorbait et nous comblait ; je n'avais pas approché beaucoup de femmes, il est vrai, mais je n'avais jamais connu de joies aussi parfaites qu'avec Marie. Nous nous forgions tout un vocabulaire amoureux, connu de nous seuls et ce baptême nouveau de chaque sentiment, de chaque geste, même de l'univers tout entier nous occupait considérablement. Nous nous levions tard et la matinée passait si rapidement que nous arrivions tout juste à nous habiller. L'après-midi, je sortais pour m'occuper de nos affaires ; elle restait à coudre ou à lire. Ne sachant trop par quoi commencer, je courais à travers la ville que je retrouvais, me semblait-il, en vainqueur. Le respect et l'orgueil de mes parents, les prévenances de toutes nos relations pour le jeune médecin me procuraient un naïf plaisir. Mais sur le chemin du retour, à l'idée de retrouver ma femme, mon cœur battait, j'étais plein d'une joie si légère qu'elle me donnait envie de danser. Je serrais Marie contre moi avec une émotion si nerveuse, qu'elle devait se défendre en riant.

Puis je lui proposais une promenade au crépuscule. Elle ne tenait pas à sortir, il lui suffisait de m'avoir près d'elle. J'insistais. Sans le lui dire, je voulais, avec elle, recréer certaines heures, repasser par certains lieux. Elle obéissait, simplement heureuse de me voir heureux :

— Tu as raison, cela me fera du bien de marcher un peu. Je m'habille.

A peine si moi-même entrevoyais, alors, à quel point il m'était nécessaire de l'accorder au reste.

En l'attendant, je m'allongeais sur le lit malgré ses affectueux rappels à l'ordre. Immobile, je la contemplais, lentement se transformant, toujours différente et toujours belle. Sur ma demande elle avait laissé pousser ses cheveux et ressemblait maintenant à ces fragiles poupées de films féeriques, aux cheveux si fins, si lumineux, qu'ils traversent les murs. Je n'entendais plus ce qu'elle disait depuis un long moment.

— Qu'as-tu ? me demandait-elle enfin, étonnée de mon silence et de ma distraction.

— Rien..., hésitais-je, rien... je crois que je suis heureux.

Elle riait avec tendresse, moqueuse.

— Tu en as l'air tout effrayé !

C'était presque vrai ; ma réussite m'étonnait, me semblait trop facile. Etais-je heureux ou n'y avait-il en moi qu'une grande volonté de bonheur ? Ces premières semaines, cette période si courte où je ne voulus pas voir, fut, en tout cas, une des rares où je l'ai cru possible. Je vivais comme si, par un miracle que je n'osais approfondir, tout se conciliait, se résolvait en une joie homogène.

Je soupçonnais bien, quelquefois, qu'elle n'adhérait pas complètement aux êtres et aux lieux que je croyais faire partie de ma vie.

Je refaisais avec elle des itinéraires tout tracés, le tour rituel du quartier ou notre promenade d'adolescents ; la flânerie le long de l'avenue centrale jusqu'au boulevard, le retour par le trottoir d'en face et la station finale sur la petite place ronde, près des étals de fruits rangés en pyramides et mystérieusement éclairés par les lampes à carbure. J'appelais le marchand de fleurs et lui offrais un bouquet de jasmin. Enfouies, comme dans une main, au creux d'une feuille de figuier, humectées d'eau, les petites fleurs blanches offraient avec constance leur exquise fraîcheur.

— Décidément, me dit-elle, je ne peux supporter cette odeur, elle me donne mal à la tête.

Je m'étonnai ; j'avais si souvent dormi, les soirs de fête, du jasmin sur l'oreiller.

Pour elle, je commentais à haute voix : D'un côté attendaient, paisibles, le museau enfoui dans des sacs de lin blanc, les maigres chevaux des derniers fiacres, de l'autre, vivants, bruyants, se bousculaient, s'interpellaient les groupes de jeunes gens et de jeunes filles : ils étaient toujours là à bavarder, comme il y avait dix ans ; à peine plus jeunes me semblait-il. Rien n'avait changé d'ailleurs ; le goudron brillait encore de l'eau de la fontaine mal fermée, le petit cinéma, où pour accéder il fallait pousser la tête des chevaux, continuait à sonner. Si je l'avais pu je me serais arrêté et mêlé à cette foule heureuse où, sous prétexte de réunions et d'excursions, s'ébauchaient des flirts ; le temps passerait si vite, jusqu'à ce que l'heure tardive eût chassé toutes les filles l'une après l'autre comme des hirondelles.

— Elle est bien jolie cette place, n'est-ce pas ? lui demandai-je.

— Jolie ? pittoresque plutôt, un peu... provinciale.

J'étais déçu. Mais était-il bien grave de ne pas aimer le jasmin ? Je regardai la petite place ; elle n'empruntait, peut-être, son charme qu'à mes souvenirs.

Marie n'avait jamais, depuis sa crise de larmes du premier jour, manifesté de révolte sérieuse. En fait, je connaissais mal ma femme ; en elle, les malaises s'accumulaient jour après jour pour éclater d'un seul coup. Comment aurais-je pensé que loin de s'adapter à ce monde nouveau, il lui devenait lentement insupportable ?

*

Le soir de la première Pâque que nous passâmes en Tunisie, je rentrai plus tard que de coutume. J'avais longuement interrogé un confrère sur les frais de son installation et ne fus guère rassuré. Ne me voyant pas venir, Marie, à qui j'avais demandé de se faire belle pour la fête, s'était habillée. Elle était prête depuis un moment, mais personne n'avait osé frapper à sa porte. D'après le brouhaha, tout le monde devait être là et nous attendait. Je me changeai en hâte.

Nous fûmes accueillis par l'enthousiasme bruyant de ma sœur aînée.

— Ah ! voilà notre grand frère ! Monsieur le docteur ! Madame la doctoresse !

Dans un nouveau peignoir de lamé mauve, jolie comme une dragée de baptême malgré ses maternités à la chaîne, elle conservait un charme d'enfant, sans minauderie ni grimace ; elle tenait en cela de ma mère, en moins sauvage peut-être. S'approchant tout près de nous, elle nous inspecta de la tête aux pieds, battit des mains :

— Quel beau couple ! Regardez ça ! Quel bel homme mon frère ! et sa femme ! sa femme !

Brusquement elle se pencha sur Marie et l'embrassa. Marie sourit. C'était la seule personne de la famille qui osât lui parler avec spontanéité ; et ce fut celle pour qui ma femme eut le plus d'indulgence.

Les hommes, nous nous installâmes autour de la table ; les autres n'y ayant pas droit, où et comme ils pouvaient. J'aurais préféré garder Marie près de moi mais d'elle-même elle rejoignit les femmes sur le canapé. Ma sœur aussitôt se mit à l'interroger sur les fêtes de son pays.

Ce premier soir de Pâque tombant un vendredi, mon père commença par la prière du Chabbat qui, jamais, ne perdait ses droits. Nous devions nous lever et nous couvrir la tête. Personne, d'habitude, ne portant de chapeau, ma mère alla chercher tous les vieux couvre-chefs de mon père. Mes deux beaux-frères, les jeunes gens et les garçons se disputèrent avec bonne humeur les moins ridicules. Les derniers durent se contenter de ruines ou de leurs mouchoirs, dont les coins noués leur battaient les tempes. Malgré la gravité de mon père, la cérémonie prenait, pour Marie, l'allure d'un dîner de têtes. Son étonnement, toutefois, commençait à s'émousser, et tranquillement je me coiffai de ma serviette de table.

Ma femme avait d'ailleurs rassuré tout le monde. Au début, mon père, le regard fuyant, le geste gauche, souffrait visiblement ; il allait aussi vite qu'il le pouvait sans dénaturer gravement les offices. La neutralité et même une certaine bonne volonté de Marie le mirent plus à l'aise.

La prière terminée, mon père but au verre de jus de raisin qu'il tenait à la main et le passa au suivant. Nous y bûmes tous, à tour de rôle, les hommes d'abord par ordre d'âge, les femmes ensuite en commençant par ma mère. Marie hésita et l'effleura de ses lèvres. Puis ce fut l'instant du baiser filial. Avant de nous embrasser les uns les autres, nous devions baiser la main de notre père et chef de famille ; c'était un des derniers vestiges de sa gloire, accepté par tous. Ce rite me fut, certes, le plus difficile à retrouver. Malgré le défilé respectueux de tous, la présence de Marie m'avait empêché jusqu'alors de m'y soumettre. Ce soir-là, je m'y décidai. Puisque je n'accordais aucune importance à sa signification religieuse, pourquoi refuserais-je un geste qui les touchait tant ? Minimisant tout, je pouvais tout accepter. Je regardai Marie à la dérobée. Elle répondait à ma sœur, brièvement, demi-souriante, avec cette expression un peu impersonnelle qu'elle avait au milieu de ma famille, mais somme toute apaisée. J'allai donc, moi aussi, embrasser la main de mon père.

Les cérémonies pascales s'ouvraient par le tour du panier. Qui devait s'en charger ?

Nous feignîmes d'hésiter, proposant à grands cris, moi compris, chacun son candidat. Yvonne, la seule fille à marier, attendait en rougissant sa désignation certaine ; cette mission sacrée faisait se marier dans l'année. Ma mère admit à peine cette hésitation pour rire et proposa Yvonne, qui fut élue par acclamations. Mon père vérifia soigneusement le contenu rituel du panier d'osier et le lui remit.

Nous entonnâmes à pleine voix le chant d'ouverture. Yvonne, debout, fit circuler autour de la table, le panier recouvert d'un carré de soie jaune et rouge dont les pointes dansaient comme des flammes douces et caressaient au passage nos têtes penchées. Marie s'était également inclinée et, sans trop creuser ce sentiment, il me fut agréable de la voir ainsi. Et lorsque après trois tours, le panier s'arrêta et que nous entreprîmes la longue histoire chantée de la descente en Egypte, elle me parut suffisamment accordée pour que je cesse de m'en occuper avec inquiétude.

J'avais également oublié mes préoccupations de l'après-midi et, à mesure que la soirée s'avançait, je me sentais étonnamment bien. Par moments, dans de subits éclairs de conscience, laissant mes lèvres psalmodier le texte millénaire, connu par cœur depuis l'enfance, je m'étonnais de me trouver là, à la droite de mon père. Mais j'étais alors envahi d'une émotion heureuse, celle du naufragé, fraîchement sauvé, qui découvre un goût inconnu à la vie de tous les jours. Je n'avais pas l'habitude de boire, et à chaque pause, comme tout le monde, pour faire honneur à la Pâque, je vidais mon verre. Tout ce vin, les reflets rouges de la lumière dans les verres, un par mâle depuis les vieux jusqu'aux nourrissons, la quiète somnolence générale, contribuaient peut-être à cette impression de tendresse retrouvée. Jamais cependant, je ne me suis senti aussi indulgent envers les autres, jamais aussi dangereusement envers moi-même.

Au dîner, il se faisait bien tard ; les enfants dormaient, abandonnés çà et là sur les divans, les adolescents ne valaient guère mieux. Nous mangeâmes rapidement les galettes cuites au mouton et chacun décida d'en rester là pour ce premier soir. Il y eut un remue-ménage de caravane au départ. Les enfants réveillés grognaient et pleuraient, les parents grondaient et les chargeaient sur leurs épaules, les adolescents s'ébrouaient, ma mère allait et venait, croyant aider tout le monde. Nous profitâmes de ce vaste mouvement pour nous retirer. Cinq minutes plus tard l'appartement était retombé dans une léthargie surprenante. Seul mon père veillerait encore, ses lèvres remuant, dans la salle à manger vide, devant les bougies exténuées et le stupide troupeau des verres inégaux.

De ses gestes lents et méthodiques, Marie commençait à se déshabiller. Hors de l'abrutissement des lumières et de l'agitation de la pièce commune je me sentis tout à fait réveillé ; j'aurais volontiers bavardé. Mais le calme soudain, la solitude de la chambre et le silence de ma femme m'intimidaient curieusement. J'avais peut-être un peu oublié Marie ; elle reprenait une présence qui m'étonnait.

— T'es-tu... bien amusée ? dis-je enfin.

Ce n'était pas le mot que j'aurais voulu employer. Sans rien dire, me tournant le dos, elle continuait à ranger ses vêtements. Elle ne répondait pas toujours à mes questions et j'avais eu du mal à m'habituer à rester ainsi en suspens. Ce soir-là je ne me sentais pas innocent, et ce mutisme me mit aussitôt mal à l'aise.

— Dis..., ça ne va pas ?

— Si... Si... laisse-moi.

Je ne posai pas d'autre question. J'aurais préféré, maintenant, que nous nous taisions et dormions, si cela pouvait être possible. Mais je savais aussi que nous n'en resterions pas là et qu'elle attendait que je parle encore. Si je décidais, tout de même, de me taire, elle resterait prisonnière de son silence.

Je commençai à me déshabiller aussi, étirant mon court sursis, rangeant mes vêtements avec un soin inhabituel. J'appréhendais d'entendre sa voix qui me rendait brusquement si coupable. Elle s'était glissée dans le lit et semblait examiner le plafond.

Je feignis de ne rien voir, terminai et éteignis la lumière. Comme si je pouvais dormir en la sachant tout entière malaise et attente ! Elle ne bougeait pas ; elle devait être encore sur le dos, les yeux ouverts dans le noir, espérant sa délivrance de ma main.

— Voyons, mon petit, qu'est-ce qu'il y a ?

Alors, elle éclata en sanglots.

— Voyons, qu'est-ce qui ne va pas... Dis-moi.

Elle pleura un long moment sans répondre.

— Je ne peux plus...je ne peux plus supporter ces soirées...

J'avoue que j'étais plus ennuyé que déçu. Seul avec Marie, la soirée pascale et mon émotion me semblaient déjà lointaines, factices, presque une rêverie d'ivrogne. Je ne pouvais espérer que ma femme acceptât tout cela. Son désespoir, cependant, me semblait exagéré.

— C'est tout ? dis-je, jouant la désinvolture ! Eh bien nous n'y assisterons plus !

Et par une outrance, née de mon léger mécontentement, voulant, tout de même, vérifier jusqu'où elle allait dans ce refus, j'ajoutai sournoisement :

— Tiens, non seulement nous n'assisterons plus à ces cérémonies mais aussitôt installés — et je m'en occupe — nous viendrons ici le moins possible.

Ses sanglots redoublèrent, elle se serra contre moi :

— Oh ! oui, je préfère... ici, je dois faire un effort constant... tout cela me paraît absurde !... anachronique... je n'ai pas quitté les préjugés et les superstitions de chez moi pour tomber dans cette... barbarie !

Je ne m'attendais pas à une telle brutalité. Je la gardai contre moi, ne sachant quoi dire.

— Tu es fâché, n'est-ce pas ? hésita-t-elle.

Je sursautai et rapidement essayai de donner le change.

— Non ! non !... je... je réfléchissais à notre installation.

— J'avais peur, avoua-t-elle, que tu ne veuilles plus partir d'ici... ici tu es absent, tu es repris par ta famille... tu ne me parles même plus.

Je m'étonnai, légèrement troublé.

— Voyons ! nous sommes toujours ensemble !

— Ensemble avec les autres !

Je protestai mollement. Je ne comprenais que trop ce qu'elle voulait dire. Elle refusait de me partager ; essayant de m'ouvrir à tous, je cessais de faire avec elle cette cellule unique que nous formions à Paris. Avec embarras, lui caressant les cheveux, ne sachant comment répondre, je répétai :

— Dès demain, je m'occuperai plus sérieusement de nous trouver un logis... je pensais attendre d'avoir de l'argent.

Elle se calmait et pleurait doucement sur mon épaule. Je continuai à lui parler, à lui faire des promesses. Je bavardai ainsi jusqu'à ce qu'elle s'endormît contre moi. Alors je la couchai et la couvris, et dans un bref sursaut, elle me sourit avec reconnaissance.

Elle avait raison, je l'avais à charge. Mon univers, dorénavant, ce n'était pas seulement mes parents et cette ville, c'était d'abord Marie, elle essentiellement. Mais ce qui me faisait peur, comme d'une étrangeté, c'est que, je le découvrais, je n'avais rien résolu. J'avais seulement rapproché, menaçantes, l'une en face de l'autre, les deux parties hétérogènes de moi-même. La rencontre de Marie avec mes parents ne fut pas, comme je l'appréhendais, scandaleuse mais absurde.

Elle dormait maintenant, rose et belle. Mystérieux comme tous les sommeils, le sien la faisait encore plus lointaine ; et la réveillerais-je, je savais que subsisterait toujours un peu de cet éloignement. Après plusieurs mois de mariage sa beauté me surprenait toujours ; fleur fermée qui, jamais peut-être, ne s'ouvrirait complètement. J'acceptais cet émerveillement quotidien, j'en avais même une confuse fierté. Mais lorsque, dans un même regard, j'embrassais ma femme et mes parents, tout vacillait, comme au passage du rêve à la veille.

Cette nuit de Pâque, je restai longtemps tout sommeil enfui, à me demander si je n'étais pas de ceux qui, toute leur vie, seraient condamnés à hésiter au bord de l'abîme.

IV

Peut-être était-ce irrémédiable mais je n'ai pas su protéger Marie d'une lente et implacable usure ; sans doute en ai-je moi-même accéléré le cours. J'avais découvert la nécessité de lui faire aimer les miens, ma ville natale et ses habitants autant que j'espérais les aimer moi-même. Mais de peur qu'elle n'y réussît pas assez vite ou par quelque soupçon qu'elle n'y consentît plus, maladroitement je l'y poussais ; et plus je devinais d'hésitation ou de réticence plus la démarche m'en paraissait urgente.

Je crus bon d'accepter toutes les invitations que nous recevions ; et au début, chacun tenant à voir l'oiseau, il y en eut beaucoup. Je voyais bien que l'on nous faisait signe par curiosité et parce que j'étais médecin et je ne m'y rendais pas moi-même sans quelque méfiance. Mais ces rencontres me semblaient indispensables et dépasser la personne de nos hôtes. J'espérais que dans ces milieux aisés, où l'on se souciait d'imiter l'Europe avec application, Marie se sentirait plus à l'aise.

Comme s'ils partageaient mes inquiétudes, ils

avaient tous la même idée : ils préparaient à l'intention de ma femme des plats du pays, épinards à l'huile, couscous, gombo, pâtisseries traditionnelles, qu'eux-mêmes ne mangeaient plus que rarement, et si riches, si lourds de graisse qu'ils m'en devenaient insolites. En même temps, de manière inattendue, ils ne cessaient, durant tout le repas, de ridiculiser nos particularités de groupe. L'œil complice, se voulant sceptiques et audacieux, peut-être aussi légèrement agressifs, ils insistaient auprès d'elle :

— Votre mari a droit à plusieurs femmes ! La loi l'y autorise !

La plaisanterie était éculée ; la polygamie n'existait pratiquement plus, et sûrement pas chez eux.

— Méfiez-vous, Madame, vous êtes trop mince et nous aimons les femmes fortes !

Feintes, surenchères ou attaques, tout cela, je le savais, n'était que l'expression d'une même peur : celle d'être jugés par Marie et par ce qu'elle représentait pour eux. Mais ces constantes et maladroites parades ajoutaient au malaise attentif de Marie et, d'une certaine façon, l'excluaient. Et tout à l'heure en sortant, malgré mes plaidoiries à peine convaincues, elle me dirait ses étonnements et sa gêne.

Mes désirs, cependant, étaient-ils bien cohérents ? Et ce naturel, cet oubli, que je souhaitais tant des autres et de ma femme, en ai-je été moi-même capable ?

Je tenais à me révéler complètement à Marie et je me sentais mal à l'aise lorsqu'elle découvrait nos différences. J'espérais vivement qu'elle admettrait les miens et qu'on l'adopterait spontanément, sans contorsions ni grimaces, et j'étais furieux, honteux comme d'une indécence, lorsque oubliant leur comédie et Marie tout à la fois, ils se livraient trop crûment.

Un soir, nous finissions de dîner chez mon oncle Maurice, lorsque arriva son frère Victor, le chef de service à la Banque du Crédit agricole. Je n'ai jamais rien eu à dire à ce gros homme qui répétait toujours deux fois, quelquefois trois, le même mot, la même phrase, par indigence de pensée. Pour lui faire plaisir, me souvenant de sa fille, je lui demandai :

— Et Odette ?... Elle va bien ?

Il arbore aussitôt un air faussement soucieux :

— Odette ? Eh ! Elle est à marier !

— Ah oui, déjà ? dis-je vaguement.

— Déjà ! mais c'est un va-et-vient à la banque ! un va-et-vient (protestant de la main). Moi, je ne suis pas pressé, c'est sa mère, elle crève d'envie de la voir mariée, aujourd'hui avant demain...

Puis finaud, souriant de ma naïveté :

— Elle n'a pas tout à fait tort, à la vérité, tu ne sais pas, toi Docteur ! C'est un atout, ça, une toute jeune fille, les hommes, nous préférons ça, non ?

Soudain sérieux, un peu ému, à peine polisson :

— Mais tu sais, elle est déjà formée, elle a tout ce qu'il faut...

Je regardai Marie. Elle devait bien s'amuser.

— Mais les jeunes gens sont devenus si difficiles aujourd'hui !

— Tout est difficile aujourd'hui, confirme l'oncle Maurice, secouant la tête avec majesté... c'est comme les loyers...

Les loyers, c'est sa spécialité, sa science, le domaine de sa ruse, de ses luttes et de ses victoires quotidiennes.

— C'est comme les loyers ! En 1928, on payait...

— Des employés ! coupe lourdement Victor, des employés ! et ça demande des deux et trois millions ! Avant-hier, une courtière est venue...

S'adressant à Marie :

— Vous savez, chez nous, il faut des courtières...

Marie sourit, compréhensive. Je fais une timide tentative pour arrêter cette exhibition :

— La dot, dis-je, embarrassé et docte, n'est pas uniquement locale, elle subsiste aussi, sous une forme enveloppée, dans...

— Non, non, soupire profondément l'oncle Victor, pas comme chez nous ! Nous sommes trop arriérés, voilà la vérité ! Chez nous, c'est une ruine, une véritable ruine... La courtière, je vous disais, est venue à la banque hier. Je parlais avec Hagège, huiles et savons, celui de la rue des Tanneurs, oui, c'est ça, rue des Tanneurs... lorsque je l'entends demander au caissier :

— Qui est Monsieur Boulakia jeune ?

— C'est lui-même, lui-même, lui dis-je ! Qu'y a-t-il pour votre service ?

— Vous avez une fille à marier ?

— Oui, une et ça me suffit.

— Ne dites pas ça ! Que Dieu vous la laisse ! Voilà : il y a un jeune homme très bien, un fils de famille et qui craint Dieu, qui s'intéresse à elle.

— A elle ? A Odette ? Comment ! Déjà, il la connaît ?

— Oh ! en tout bien tout honneur... il ne lui a jamais parlé, il la connaît de vue... et moi, je lui en ai parlé un peu.

— Ah bon ! Parce qu'Odette est sage, elle dit tout à sa mère qui me dit tout.

— Je sais, je sais quel trésor vous avez, Monsieur Boulakia jeune, je vous le jure, croyez-moi, que mes yeux me fassent défaut : je l'aime plus que ma fille, cette enfant... mais vous savez, aujourd'hui, les jeunes filles, il faut mieux les marier jeunes, même avec quelque sacrifice...

— Oh, Odette peut attendre... et qu'est-ce qu'il fait ce jeune homme ?

— Je vous attendais : il a un emploi magnifique : il est fonctionnaire, à la Trésorerie Générale.

— Employé, quoi !

— Ah non, non ! Ouvrez les yeux, je vous en prie, Monsieur Boulakia jeune, c'est solide ça ! C'est comme un train sur des rails, intelligent et travailleur il ira loin ! Il a beaucoup, beaucoup d'avenir !

— Enfin, il est employé, passons... Il veut une dot, bien sûr...

— Raisonnable : il ne demande que ce qu'on demande.

— Combien ?

— Deux millions et les meubles, vous voyez, je...

L'oncle Victor explose :

— Deux millions et les meubles ! vous vous rendez compte ? Vous trouvez ça juste ? Je trouve, moi, que ce n'est pas juste : c'est lui qui la demande et c'est lui qui exige.

— Non, ce n'est pas juste, répète et con irme toute la table.

— C'est comme les immeubles, dit rapidement l'oncle Maurice, les gens viennent vous voir et vous offrent un prix dérisoire ! Quoi ! s'ils viennent ils doivent accepter votre prix ou un peu moins, c'est tout, non ?

Arrêt fatal.

— Deux millions et demi et les meubles, enchaîne Victor, ça fait comme trois millions aujourd'hui, sans compter ce qu'il va exiger comme ustensiles, depuis la cuvette à couscous jusqu'à... je ne sais pas, les épingles... ce n'est pas intéressant, pas intéressant du tout.

— Non, répétaient compatissants et soucieux, les frères, sœurs, nièces et neveux, ce n'est pas intéressant du tout.

*

Etait-ce seulement elle que je voulais convaincre ? Pourquoi ne me suis-je pas contenté, au moins pour un temps, du plus policé, de ce qui nous était relativement commun ? Pourquoi me suis-je obstiné à lui faire connaître aussi le plus pauvre et le plus misérable, refusant de penser qu'elle risquait alors de se fermer définitivement ?

Sur les instances de ma mère, chef harcelant du protocole familial, j'acceptai sans me faire prier d'aller présenter ma femme à nos parents les plus déshérités. Une fin d'après-midi, j'écartai le rideau qui couvrait la porte de la tante Touria, une vieille cousine de mon père que je n'avais pas vue depuis trois ou quatre ans. La pauvre femme, à la figure enflée et trouée de variole comme une éponge, n'en crut pas ses yeux, hésita, puis soudain, prise d'une joie panique, lâcha ses savates et se mit à courir pieds nus à travers l'oukala, criant au seuil des portes :

— Ils sont là ! Ils sont là ! Venez tous !

Enfin, quand elle se calma et osa nous approcher, devant tous les voisins, elle baisa la main de Marie, rougissante.

Une tante de ma mère, ne sachant qu'inventer pour nous souhaiter la bienvenue, disparut dans la cuisine, nous laissant dans un mélange de linge sale et de lait aigre. Elle revint les joues gonflées à éclater et, brusquement, faisant fonctionner ce vaporisateur inédit, nous lâcha sur la figure un nuage d'eau de fleur d'oranger.

Je fis subir à Marie le verre commun d'araki, la cuillère de confiture qui circule de bouche en bouche, les baisers qui sentaient la sueur et dont elle avait peine à cacher son dégoût, les longs bavardages en patois, incompréhensibles pour elle, sans qu'elle osât se plaindre.

Sous prétexte d'achats à effectuer ou de curiosités à lui découvrir, je l'entraînais dans d'interminables expéditions dans les ruelles sordides, le long des caniveaux où coulait l'eau bourbeuse. Je ne lui épargnais ni l'odeur des étals de viande ni celle des tas d'ordures ; je la fis manger dans des tavernes où je n'aurais pas eu l'idée d'aller tout seul. Ostensiblement, je m'arrêtais devant le moindre pittoresque, je m'extasiais devant une clef de voûte ou le détail d'une pierre. Puis avec inquiétude, je sollicitais son avis.

Se sentant surveillée, elle parlait encore moins que d'habitude. A peine si, lorsque j'avais passé la mesure, timidement elle protestait.

— Oh, tu sais, la misère ce n'est pas très beau... et puis ces odeurs !

Feignant de ne pas comprendre, j'insistais : ces quartiers étaient en quelque sorte mon terroir, c'était là que je me sentais le plus à l'aise, je tenais absolument à lui faire découvrir et apprécier ces êtres et ces lieux.

— Tu sais, disait-elle doucement, je t'aime, cela me suffit.

Cela ne me suffisait pas. C'est que cette adoption sans arrière-pensée était aussi mon propre drame inavoué. Revenant au pays après de si longues années, l'ayant quitté adolescent pour y revenir homme fait, je ne le retrouvais pas sans étonnement ni malaise. Il n'est pas sûr que j'aurais pu y vivre longtemps si j'y étais retourné sans Marie. Mais j'en voulus à ma femme de me révéler et d'incarner mes impossibilités. Me découvrant coupable de trahison, quel meilleur symbole pouvais-je en trouver ?

*

Au terme d'une longue promenade le long des plages, je l'emmenai dîner dans le petit port de la Goulette, où j'avais passé plusieurs étés de mon enfance. Je lui fis aborder la vieille cité maritime par le bassin aux voiliers dont je savais le charme difficilement récusable. Elle aima les barques de pêche, le fort de Charles Quint, et le retour de la marée. J'enregistrai son approbation avec précaution comme si je risquais de la dissiper par d'imprudentes paroles. Lorsque nous entrâmes dans la ville estivale, si la nature trouva encore grâce, le bâtiment la fit s'exclamer :

— Oh, dommage ! Pourquoi cette promenade en ciment ? Que c'est laid ! Ne pouvait-on laisser le sable nu !

Devant le casino, elle s'indigna :

— Quelle vilaine verrue !

Un instant je songeai à défendre et la promenade et le casino ; puis je dus m'avouer que la construction était, en effet, une monstrueuse excroissance qui agaçait un paysage splendide ; la coulée de ciment figeait, écrasait la légèreté mouvante de la plage. Je découvris avec étonnement que je voyais, dorénavant, le pays comme les gens, avec ses yeux.

Les chaises et les tables des gargotes occupaient les trottoirs sur plus d'un kilomètre. Sans répondre aux invites bruyantes des restaurateurs je choisis avec soin une petite table pas trop près des grils et des poêles, l'odeur de l'huile frite et de la viande pouvant indisposer ma femme. Un garçon se précipita aussitôt et donna un rapide coup de torchon envoyant par terre des miettes de pain et des arêtes de poisson. J'aimais beaucoup cet endroit et cette heure où la nuit est si claire qu'elle éclipse les milliers d'ampoules des gargotes, et le bagout joyeux des restaurateurs m'amusait. Je me préparai à la fête.

Sans rien dire, dissimulant à peine son dégoût, Marie roula la toile cirée qui recouvrait la table, puis soulevant son verre avec deux doigts, le scruta avec méfiance. Je regardai la table et retirai mes coudes ; c'était vrai, je les avais posés sur des traînées d'eau huileuse. Je n'avais jamais, jusqu'ici, pris garde aux verres brumeux, aux toiles cirées qui perdaient leur colle, et aux reliefs des repas des autres. Elle avait raison ; mais voici de nouveau ce sentiment de distance envers les choses et les gens de mon enfance. Me voici de nouveau au spectacle, l'innocence de la fête était dissipée.

Comment aurais-je pu, par-dessus le marché, convaincre Marie ? Au contraire, hostile, envahi d'une ironie destructrice, stupidement je cherchai à l'étonner davantage. Au lieu de commander du poisson, qui était exquis, tout frais de la pêche du soir, je lui dévoilai que l'on pouvait manger des testicules grillés.

— Oh ! quelle horreur !

Je feignis de m'étonner :

— Pourquoi ?

Sous prétexte d'analogie, je cherchai dans la cuisine occidentale un mets aussi surprenant :

— Et les escargots ? Et les tripes à la mode de Caen ? Quand on pense à ce que cela contenait ! Ce n'est pas plus curieux.

— Tu sais, je n'aime pas non plus les tripes... tout de même... ce n'est pas la même chose...

Pourquoi n'était-ce pas la même chose ? Déjà irrité, je renchérissais, cherchant à l'atteindre, et vexé de cette colère qui me prenait pour si peu.

— Il y a mieux : on peut manger de la verge... à peine cuite.

— Eh bien, c'est dégoûtant !

— Non ; c'est une question d'habitude.

Un silence, puis :

— Tiens, je vais en commander une...

Et au garçon, pas trop fort, afin qu'il ne m'entende pas :

— Eh frère ! Apporte-nous une verge de mouton !

— Ah ! je t'en prie ! s'affola Marie, enfin scandalisée, tu veux me dégoûter tout à fait !

Tout à fait ! Elle l'était donc suffisamment, elle l'avouait ! Me voici amer ; tricheur qui, patiemment, a cultivé l'amertume !

Je haussai les épaules, résigné à l'injustice et aux préjugés.

— Tant pis, je n'en prendrai pas.

Engagé dans cet étroit chemin, je savais encore, cependant, m'arrêter. Je notais seulement avec regret que Marie était peu ouverte, plus méfiante que la plupart des gens de passage. Jamais, par exemple, elle n'avait dit qu'elle aimait le couscous ou la qualité de la lumière, enfantillages qui me faisaient regarder les autres femmes d'un air qui était un reproche pour elle.

Mon inquiétude avait besoin d'un don immédiat et sans réserve, d'une impossible identité. Mais j'aurais pu penser que l'accepter naturelle dans ses sympathies et ses antipathies était la meilleure manière de la conquérir ; j'aurais pu comprendre qu'ayant déjà tellement donné d'elle-même, il lui fallait se retenir un peu sous risque de vertige.

V

Et bientôt elle n'eut même plus le courage de dissimuler. Elle souffrait de la chaleur et du froid, de l'humidité et de la lumière éclatante qui l'éblouissait, du bruit incessant des radios, des odeurs toujours présentes, celle de l'huile frite, des grillades, des fleurs ; elle ne pouvait comprendre ni excuser notre laisser-aller méditerranéen, les portes et les fenêtres qui ferment mal, les vitres cassées, l'exubérance des joies et des peines.

— Au fond, ce sont des enfants, disait-elle lorsqu'elle était de bonne humeur, ils sont naïfs et sans pudeur, il leur faut des couleurs vives, des odeurs fortes et du bruit !

Et lorsqu'elle était fatiguée :

— Quelle vulgarité !

Ne comprenant pas tout à fait ce qui se passait en elle, je m'étonnais qu'elle fît tant cas de détails. Je ne voyais pas clairement que ces détails n'étaient que l'expression d'un malaise fondamental : elle se découvrait lentement et définitivement solitaire, se heurtant à chaque visage et à chaque objet. Et j'avais beau essayer de la protéger, j'arrivais à peine à prévoir où elle allait se blesser, à prévenir des souffrances toujours renaissantes. Elle ne supportait pas la cuisine de ma mère, qui faisait pourtant de réels efforts ; à chaque plat, elle questionnait avec méfiance sur les ingrédients, la graisse, les épices, la cuisson. Malgré l'effroi religieux de mon père, j'introduisis dans les menus quelques aliments de chez elle, laitages et charcuterie. Mais il ne s'agissait pas de nuances, elle ne digérait pas et se mit à maigrir dangereusement. Elle souffrait du froid, je découvris avec étonnement qu'elle en souffrait plus que moi. Nous n'avions pas l'habitude de nous défendre contre l'hiver trop court qui nous surprend toujours comme un mauvais tour du ciel. Et cette première année que nous passâmes à Tunis elle collectionna les rhumes, les angines et les grippes. Je demandai à mes parents qu'ils cessent de parler patois devant Marie ; c'est peut-être dans ces moments où ils se mettaient à parler entre eux, tous à la fois, criant au plus fort pour se faire entendre, que la solitude de ma femme, au sourire figé, celui d'une sourde, me frappait le plus. Mais je n'insistai pas beaucoup, je l'avoue ; ma mère comprenait à peine le français, fallait-il l'exclure de la conversation pour que Marie se sentît moins perdue ?

Raisonneur, tantôt sincère tantôt de mauvaise foi, j'essayai d'expliquer à Marie ce qui la heurtait, espérant le lui rendre un peu plus familier. Les portes ne ferment pas ? Négligence certes, mais aussi la chaleur dessèche le bois, la pluie subite le regonfle ; la nourriture trop épicée ?

Sans épices, avec ce climat, on ne mangerait plus. Je reconnaissais souvent, en moi-même, qu'elle avait raison mais il m'était désagréable de l'avouer, j'aurais admis alors, que jusqu'ici, j'avais vécu en sauvage.

Il s'agissait bien d'ailleurs de discours et de persuasion ! Il aurait fallu transformer les gens et les institutions, les bâtiments et toute la nature. Pouvais-je empêcher les marchands de brioches de hurler sous nos fenêtres dès six heures du matin, suivis par les marchands de beignets au miel, puis par les marchands d'artichauts, de vieux habits, de pétrole ?... Pouvais-je supprimer l'humidité, atténuer la chaleur, faire pousser de la verdure ?

Je m'affolais, perdant définitivement une sérénité tellement provisoire qu'il me fallait, plus tard, faire effort pour en retrouver le souvenir, je ne savais comment retenir les murailles qui s'écroulaient. Vis-à-vis de mes parents je redevins soupçonneux, hostile, plein de reproches difficiles à formuler. Ils m'agaçaient de ne pas comprendre d'eux-mêmes ce que j'aurais souhaité d'eux. Mais que leur reprochais-je au juste ? D'être si différents de ma femme qu'ils ne pouvaient pas ne pas la blesser ? J'en voulais à Marie de ne pas pouvoir les accepter tels quels, de son dépaysement, qu'elle ne cachait plus et dont je me sentais responsable. Je cherchais querelle à tout le monde, attaquant mes parents avec les lèvres de ma femme, disputant ma femme au nom des miens.

Je ne pus m'empêcher de penser, pour la première fois, que j'avais choisi une voie bien difficile en épousant Marie. Puis aussitôt je me fis honte ; la qualité de Marie ne justifiait-elle pas des efforts supplémentaires ? Et les pauvres calculs de mes parents que je découvris bientôt eurent un résultat inverse de ce qu'ils espéraient et raidirent un peu mon courage.

*

Il fallut bien admettre l'évidence : Marie ne pouvait pas faire partie des miens. Et ils ne pouvaient pas plus l'adopter qu'elle les accepter.

A vrai dire j'avais été surpris par leur bon accueil ; au point que mes précautions épistolaires et mon anxiété me semblèrent puériles. Grâce aux maladresses, en partie volontaires, de ma mère, je pus reconstituer ce qui s'était passé. Lorsque je leur avais annoncé, par lettre, mon mariage, ils s'étaient d'abord affolés. Puis, comme on ne peut vivre dans le désespoir, ils se remirent à espérer. Suivant les conseils de mes oncles ils me demandèrent des précisions et interprétèrent mes réponses ; l'éloignement et l'imagination aidant, ils reconstruisirent Marie et la situation selon leurs désirs : sur une phrase imprudente, ils crurent tenir la promesse d'un mariage religieux, ils l'annoncèrent partout et ajoutaient que Marie se convertirait : « Elle est déjà plus pratiquante que nous ! » affirmait fièrement ma mère ; on découvrit que la qualité de Française de ma femme me procurerait de nombreux avantages, peu clairs mais certains. Ils me firent répéter que je rentrerais bientôt à Tunis ; Marie, enfin, ne m'apportait pas de dot mais ils voulurent comprendre qu'elle était riche. Et puis, n'étais-je pas médecin ? Sans dot, mon lancement serait peut-être plus lent, mais l'ouverture de la fontaine miraculeuse, l'incroyable pluie d'honoraires ne serait que différée.

Quelques mois suffirent pour qu'ils fussent obligés de s'avouer que cette traite de confiance se révélait sans provision. Il devenait tous les jours plus évident que je ne réussissais pas professionnellement. Du coup ils retrouvèrent toutes leurs raisons de désespérer, qu'ils avaient eu tant de peine à combattre : j'avais fait un mariage sacrilège, hors de la communauté, aux conséquences d'autant plus effrayantes qu'ils n'arrivaient pas à les imaginer ; j'étais rentré mais je refusais d'engager l'avenir ; leurs désillusions, enfin, étaient cruelles. Ma réussite devait être le couronnement de leur vie, la promotion sociale de la famille et son salut financier : pour ce mariage incongru je renonçais à sauver mes parents.

Mes relations avec toute la famille se mirent à pourrir avec rapidité. Mon père et ma mère furent les derniers à me défendre. On n'osait pas encore se livrer à des attaques précises mais je nous sentais au milieu d'un tumulte grandissant. Quelquefois, à la suite de ces petites querelles communes aux jeunes époux, Marie et moi nous nous expliquions jusqu'à des heures avancées de la nuit. Ces escarmouches étaient à peine désagréables ; après avoir vidé notre dispute nous renouvelions nos promesses, et nos élans, et en sortions plus amoureux, détendus et purs comme un ciel d'après pluie. Mais le lendemain, les regards de l'immeuble étaient si naïvement sournois qu'il me fallait faire effort pour paraître ne point les remarquer.

Un matin, dans un moment de détente confiante, je tambourinais sur les casseroles de la cuisine comme autrefois lorsque je rentrais affamé de l'école. Ma mère, incapable de dissimulation durable, osa me dire, sans me regarder :

— Après tout, c'est tant mieux que tu n'aies pas fait de mariage religieux.

Je préférai une fois de plus, n'avoir pas entendu. J'eus tort. Ne ripostant pas avec une immédiate vigueur, j'ai certainement encouragé leur hésitante et amère audace. Mais j'étais paralysé de mauvaise conscience à leur égard et, après tout, je ne portais pas au visage un bonheur éclatant. Un autre jour, comme je lui disais que je ne croyais guère aux embarras d'argent de mes oncles, qui hésitaient à m'aider, elle soupira :

— Et toi, tu as bien arrangé tes affaires !

Et comme je ne répondais pas, elle ajouta :

— Heureusement que la vie est longue et qu'il y a plusieurs tours dans une partie de cartes...

Je ne pouvais davantage ignorer leurs espoirs. J'ordonnai sèchement à ma mère de ne plus revenir sur ce sujet, et d'en avertir les autres : Marie était ma femme, définitivement ; s'ils désiraient continuer à me voir il faudrait qu'ils s'habituent à mon mariage. Ma mère prit peur et jura aussitôt que je l'avais mal comprise, qu'elle aimait Marie comme sa fille, et même plus que moi.

Je n'espérais pas, cependant, les réduire longtemps au silence, ni changer le fond de l'affaire. Pour eux, je m'étais conduit comme un égoïste et un sot. Je ne pouvais même pas les condamner entièrement. Lorsque, pour la première fois, ma mère me demanda avec une moue d'enfant gâtée, de lui payer une paire de chaussures, il me fut pénible de refuser. La somme était minime, ma mère continuant à se servir chez les artisans, mais je ne l'avais pas. Cet argent que je n'arrivais pas à rapporter, n'était même pas ma propriété absolue ; ils m'avaient délégué, tous ensemble, pour le gagner ; ils l'attendaient depuis le début de mes études.

Je dus convenir, que sur ce point encore, c'était leur univers qui était cohérent et non le mien, qui craquait de toutes parts. Pour eux, le mariage riche complétait le doctorat comme un diplôme supplémentaire et nécessaire : la dot payait le cabinet, l'appartement et la voiture ; l'alliance avec une famille solidement installée dans la ville ouvrait le monde de la clientèle payante. Je m'étais mis hors-jeu ; car ce n'étaient pas les pauvres efforts de mes parents, déjà peu convaincus, qui auraient pu me lancer.

Je recevais donc mes rares patients chez l'oncle Maurice qui voulut bien mettre à ma disposition la chambre de ses enfants. La tante, arborant un sourire complice et satisfait, se découvrait un prétexte à séjourner dans la salle à manger, chaque fois que, par aventure, un client m'y attendait ; les enfants, chassés de leur antre, galopaient furieusement à travers le couloir ; et je faisais bouillir mes seringues à la cuisine, à côté des ragoûts, et revenais casserole à la main.

Je me demande, au surplus, si j'ai vraiment tenté de réussir, si j'ai seulement cru à ma réussite. Je veillais bien à garder l'air affairé lorsque je traversais la ville, ma trousse de cuir noir toujours à la main, et mon costume soigneusement repassé ; mais je n'eus pas le courage ni l'envie de plus de grimaces, je n'effectuai aucune visite utile, je ne demandai aucune aide à personne. Ainsi il était entendu, avant mon mariage, que mes oncles contribueraient à mon installation. Dans les grands événements familiaux, mes oncles accordaient leur aide, parcimonieuse certes et qui ne résolvait aucun problème ; mais elle aurait pu me procurer au moins une très fine dorure, qui, peut-être, aurait fait illusion. Malgré l'insistance de ma mère, je refusai de me plier au cérémonial indispensable. Comme si, manquant mon retour parmi les miens, je devais en manquer la consécration habituelle : le succès professionnel et social. J'ai accepté, très tôt je crois, de jouer perdant.

Et bientôt, du rang de jeune médecin respecté, parce que redoutable dans un proche avenir, je passai doucement à celui d'un raté. J'en eus la preuve publique à quelque temps de là. Je reçus une lettre, du président d'une société de bienfaisance, me proposant un poste de médecin dans leur dispensaire pour indigents. Ces emplois mal rétribués donc méprisés, n'étaient offerts qu'à des médecins sans clientèle.

— Bien entendu, me dit l'opulent avocat, président de l'œuvre, ne pouvant vous honorer comme vous le méritez...

Je fis un geste de la main, qui se voulait modeste.

— ... nous vous laisserons la possibilité de conserver votre clientèle privée.

Il eut un large sourire qui s'ouvrait comme un rideau de théâtre, plein de grosses dents, presque gênant de fausseté : je serais pris matin et soir et, d'ailleurs, il le savait bien, je n'avais pas de clientèle privée.

Je lui demandai, pour la forme, un temps de réflexion. S'il avait mieux su cacher son dédain, j'aurais accepté tout de suite. A peine une inquiétude fugitive : entérinant mon échec économique, je devais renoncer, probablement, à toute une manière de vivre, à l'égard de laquelle j'hésitais encore, je l'avoue. Puis, par un de ces balancements dont j'étais coutumier, je découvris dans cette nouvelle orientation de ma vie des motifs de fierté. Je retrouvais sans trop d'efforts un vieux dessein, non complètement oublié : devenir un médecin désintéressé. N'était-ce pas ce que je me promettais dans mes premières années de faculté ? Je conclus presque que j'avais choisi la meilleure voie.

Je fis part à Marie de la proposition de l'avocat et surveillais le visage de ma femme. Mais elle en fut si spontanément heureuse qu'elle m'embrassa sur les deux joues, plusieurs fois : ainsi l'on se congratulait chez elle. Fille de fonctionnaire, à salaire fixe, cela lui paraissait une aubaine ; peut-être aussi y trouvait-elle l'espoir de quitter bientôt la maison de mes parents. Je lui fus, en tout cas, reconnaissant de son approbation et de ne pas même soupçonner mes regrets ; j'eus presque

honte de mon hésitation. J'entrevo
chaque pas m'éloignait davantage
mon groupe, d'une image de
qu'avec l'âge, l'alourdissement
nature, la lente reprise par le pa
j'aurais aspiré à retrouver, comme la plupart des hommes se mettent, vers le soir de leur vie, à ressembler à leur père. Mais je me redis aussi, avec orgueil, que Marie, par sa seule présence, m'obligeait à vivre au sommet de moi-même.

Et je commençais ma vie nouvelle avec ardeur, heureux de ne plus recevoir dans la salle à manger de l'oncle et d'en finir avec une inaction si pénible. Des longues journées vides à attendre le client, sans transition je passais à la foule souffrante du dispensaire, qui ne désemplissait pas de huit heures du matin à six heures du l'après-midi. Avec les deux infirmières nous nous suffisions à peine. Nous avions bien un médecin-chef qui devait contrôler les deux dispensaires de l'œuvre et théoriquement nous aider un peu; bénévole et absorbé par sa clientèle nous ne le voyions jamais. Je ne me contentais pas des consultations, je refaisais les pansements et piquais; le soir je rentrai éreinté. Mais je ne m'en plaignais pas; c'était ma seule joie sans ambiguïté depuis mon retour.

Et cette joie aurait été sans ombre si je n'avais su Marie toute seule, ne connaissant personne dans la ville, si je ne l'avais retrouvée, au crépuscule, non pas lisant ou cousant comme j'aimais à imaginer ma femme, mais, dans la chambre obscure, étendue sur le dos à fumer, écrasant ses

ettes, l'une après l'autre, dans un cendrier
bordant de mégots.

*

Dès que j'eus signé mon contrat, je décidai de nous installer le plus rapidement possible et l'annonçai à Marie. Le plus sage, cependant, aurait été de commencer par chercher de l'argent — mais où l'aurais-je trouvé après m'être mis en situation de m'en fermer toutes les sources ? — Et l'euphorie de la décision passée, je restai bien embarrassé.

A tout hasard, j'emmenais Marie à la chasse aux appartements ; comme si, en en visitant, en en touchant les murs, je risquais par quelque magie de nous les rendre plus accessibles. J'espérais qu'elle ne se déciderait pas trop rapidement ; je fus comblé là-dessus. Elle écartait les appartements difficiles à chauffer ou mal conçus, les pièces peu claires, les cuisines incommodes, les murs trop vieux, les traces d'humidité, les rues bruyantes, les vis-à-vis indiscrets. J'appris ainsi beaucoup et complétai, grâce à elle, une éducation bourgeoise très sommaire. Je crus d'abord qu'elle hésitait parce qu'elle apportait à ce choix, si cruellement vain pour moi, la ténacité, les soigneuses exigences qu'elle mettait dans tous ses actes. Et galant démuni je m'attendais, avec appréhension, à la voir se décider pour le plus beau et le plus onéreux. Mais le temps passait et bien qu'elle ait été plus pressée que moi de s'installer et que nous ayons sillonné la ville plusieurs fois, elle ne retenait rien. Enfin, à la suite d'une de ces harassantes tournées, elle me dit :

— Tu sais... je crois que je ne peux habiter à Tunis.

Je sursautai :

— ... Je veux dire, précisa-t-elle, que je préfère la banlieue.

Après l'impossibilité de vivre dans ma famille, elle venait de découvrir celle de vivre dans la ville. Sans trop s'en rendre compte peut-être, elle commençait à détester ma ville natale. Cette longue enquête avait servi à l'éliminer quartier par quartier.

L'idée me parut, d'abord, saugrenue; il ne convenait guère à un jeune médecin, et qui démarrait mal, d'habiter si loin. D'ailleurs je préfère la ville et les pierres et les hommes à la nature et aux arbres qui me pèsent rapidement. Mais puisque les problèmes, même les plus simples, se posaient à moi d'une manière toujours nouvelle, qu'il fallait sans cesse tâtonner et réinventer, je pouvais bien, là encore, ne pas emprunter les habitudes traditionnelles... Pourquoi ne pas habiter en banlieue, en effet ? A cause de la clientèle ? Je n'en espérais plus. Je n'aimais pas beaucoup la campagne ? Mais Marie se blessait et s'étiolait dans la ville; le mieux serait de l'en sortir. Ce fut même l'occasion, pour moi, d'une découverte pleine de promesses : j'aurais ainsi, en quelque sorte, deux vies, l'une citadine et publique, l'autre campagnarde et privée, Marie d'une part, mon métier et les miens d'autre part. Ce que je n'avais pas réussi à fondre, pourquoi ne pas le séparer soigneusement ?

Et le sort voulut que cette solution fût la plus facile. On encourageait alors la construction en banlieue et j'obtins assez rapidement un prêt gouvernemental. Aussitôt que je pus prendre possession du terrain j'y emmenai ma femme. Sa joie fut si grave qu'elle m'inquiéta ; debout au milieu de notre futur domaine, encore recouvert d'herbe et qui paraissait minuscule, elle murmura :

— Ici, je serai chez moi, je vivrai à ma manière, je n'aurai même pas besoin de sortir.

— Eh là ! plaisantai-je, nous n'allons pas construire un cloître !

Elle refusa de sourire.

Elle discuta le projet ligne par ligne avec l'architecte, qui s'étonnait d'une telle attention.

— Et je ne veux, précisait-elle, ni crépis sur les murs, ni grillages en arabesques, ni créneaux à la terrasse ; pas de style néo-mauresque ni de faux italien.

Il crut simplement qu'elle préférait les lignes droites et nues suivant les tendances de la mode actuelle. Je ne me mêlai pas de lui expliquer qu'elle écartait ainsi toute l'architecture du pays. Elle lui demanda même, en hésitant, si elle ne pouvait avoir un toit en ardoises. Je vins, cette fois, au secours de l'architecte qui ne comprenait plus, avec le seul argument qu'elle admît « c'est beaucoup trop cher ».

Lorsque les fondations furent commencées, ma mère me demanda la permission, suivant la coutume, d'y semer quelques pièces de monnaies et d'y égorger un poulet. Marie refusa avec violence.

— Ah, non ! Qu'on me laisse tranquille maintenant avec ces pratiques barbares ! Dis-lui que je-ne-veux-pas !

Je trouvai que cela ne valait pas tant de passion, elle ne me laissa guère plaider :

— Je ne veux pas que ça commence déjà, je ne veux pas être poursuivie jusqu'ici.

Je n'insistai pas : Marie nous préparait une coquille, elle en défendait les abords. Ce n'était pas totalement inutile d'ailleurs. Deux jours après, le gardien du chantier me raconta qu'une femme brune, grande et maigre, était venue en notre absence et avait enfoui quelques pièces de monnaie dans la terre. Je lui donnai un billet pour qu'il n'en dît rien à ma femme.

Presque tous les jours, pendant trois mois, Marie alla au chantier, où je la retrouvais, tête baissée à cause de la lumière, assise sur un tas de briques ou discutant avec le contremaître ; si je l'avais laissé faire, elle aurait aidé de ses mains à l'avancement des travaux, elle aurait campé sur le terrain. L'entrepreneur ayant achevé la buanderie bien avant la maison, pour y entreposer son ciment, Marie décida, malgré mes protestations, que nous nous y installerions. Nous étonnâmes bien nos nouveaux voisins, les habitants du village tout proche, qui nous jetaient en passant des regards curieux. Mes parents, vexés et scandalisés, nous laissèrent partir sans me demander d'explications. Et lorsque nous pûmes enfin occuper la maison où notre impatience affronta les rhumatismes, Marie pleura.

Je fus moi-même très ému. Il était temps que nous retrouvions notre univers commun, trop menacé parmi les autres ; mais tout semblait s'arranger. Marie reprenait vie à s'occuper de son intérieur ; comme pour marquer ce nouveau départ, on m'accorda un supplément d'honoraires ; un confrère de l'autre dispensaire me laissa sa petite voiture, à payer par fractions. Et quelques semaines après, nous croyant sûrs de notre avenir, nous ne rusâmes plus avec la nature, et comme nous avions le sang juste, très vite, ma femme se déclara enceinte.

VI

Cette installation hors de la ville, peut-être nécessaire à Marie, cerna les contours définitifs de notre univers : celui de la fuite et de la solitude. Chez mes parents, assaillis par tant de petites souffrances, nous avions voulu croire que sans elles nous aurions été heureux. Dans le silence et l'éloignement, cruellement ramenés à nous-mêmes, nous dûmes établir un bilan désastreux que plus rien ne masquait.

Au début je me débattis. J'essayais de convaincre mes anciens camarades du charme d'une promenade jusqu'à la villa. Par une insistance, allant jusqu'à la bouderie lorsqu'ils restaient longtemps sans nous voir, ou une cour disproportionnée à ce qu'ils étaient pour moi, j'obtins quelquefois une visite dominicale par temps de pluie, quand ils ne pouvaient aller nulle part ailleurs — ou un après-midi de samedi ensoleillé, où l'on « profitait » du jardin. J'espérais, malgré la tournure si différente de ma vie, manifeste jusque dans mon costume et mon vocabulaire, grâce à beaucoup de complaisance, arriver à ne pas vivre tout à fait seul avec Marie dans la villa solitaire.

Mais cette fois encore, j'avais fait mon addition sans le restaurateur ; à détruire toute possibilité de relations amicales ou même simplement mondaines, ma femme apporta une obstination que je ne compris pas tout de suite.

Passée l'interminable après-midi où elle fut polie, certes, mais muette, absente — Ah ! que je préfère notre exubérance à cette politesse constante, niveleuse, vernis presque parfait, qui ne laisse passer aucune chaleur humaine ! — elle s'anime enfin au départ de nos hôtes. Elle ouvre toutes les fenêtres, laisse entrer le courant d'air glacé, ramasse prestement tous les cendriers et donne un coup de balai, comme un garçon de café qui termine sa corvée et se hâte, indifférent aux réjouissances des autres, d'en effacer les traces. Invariablement, malgré mon regard qui s'attarde sur elle, perplexe, tout proche de l'irritation, elle murmure :

— Quelle poussière *ils* ont transportée !... Et l'odeur de ces mégots !

Toute l'après-midi j'avais essayé de l'entraîner dans la conversation, lui demandant son avis, sollicitant son attention. Elle s'y refusait habilement, gardant ce sourire de bonne compagnie, d'un charme trompeur, presque distrait. Je ne peux m'empêcher, maintenant, de lui en faire reproche. Elle hausse les épaules :

— Que veux-tu ? Vous parlez d'événements et de gens que je ne connais pas, vous remâchez vos souvenirs.

C'était vrai, nous n'avions pas, elle et moi, de

souvenirs communs, mais pourquoi tant de mauvaise volonté ? Je lui explique, une fois de plus, avec cette fausse patience qui maîtrise mal l'amertume, que nous pourrions en avoir déjà si elle le voulait, si elle acceptait de s'ouvrir davantage...

— Et à qui, s'il te plaît ?

Alors, avec un sens de l'observation que je ne pensais pas si éveillé durant ces pénibles séances où je voyais avec dépit qu'elle mourait d'ennui, elle fait de nos visiteurs de cruelles caricatures, mettant en lumière les insuffisances, les fautes de goût, de langage, de maintien, de costume. Je suis battu ; ces défauts existent, comme les laides bizarreries de la ville qu'elle avait fait revivre pour ma conscience oublieuse.

Je refuse le combat sur ce terrain et reviens à ce qui me préoccupe :

— Devons-nous donc vivre seuls ?

— Je préfère la solitude aux médiocres.

La discussion tourne court. J'ai honte d'avouer que je préfère les médiocres à la solitude.

Fils de famille nombreuse j'ai souvent vérifié mon insatiable besoin des autres, qui me fait rechercher les êtres sans raison particulière, parce que j'en aime la chaleur, la simple existence.

— Ils ne sont pas dignes de toi, de nous, tranche-t-elle.

— Que m'importe, affirmé-je, qu'ils soient très intelligents ou qu'ils aient lu le dernier roman à la mode, si ce sont mes amis, s'ils m'aiment...

Elle me regarde avec cette ironie d'une moitié

de la bouche, qui lui fait une fossette unique à la joue gauche.

— Ce ne sont pas tes amis, tu le sais bien, et ils ne t'aiment pas. Ils n'oublient pas tes origines et tu es trop lourd à porter, tu condamnes tout ce qu'ils sont et tu ne sais même pas le cacher. Devant toi ils se sentent jugés et coupables. Ce ne sont pas tes amis, ce sont seulement des gens du clan.

Je libère enfin ma colère parce qu'elle touche juste. Ne peut-elle donc comprendre que dans ce pays on n'est toléré que par les gens de son clan ? Pourquoi cet esseulement où elle m'obligeait à vivre ? Pourquoi une telle méfiance si attentive aux gestes et aux paroles des miens ?

Elle ne répond plus jusqu'à ce que brusquement elle éclate en sanglots et, désarmé, je recule.

Il fallut bien abandonner et accepter d'ajouter cet échec aux autres. Les événements, d'ailleurs, m'échappaient. Mes camarades commençaient à deviner l'hostilité larvée de ma femme et à leur déférence se mêlait un soupçon grandissant. Dès que Marie apparaissait, l'atmosphère se transformait, se faussait jusque dans la musculature de l'assistance. Je les sentais se guinder, se crisper, éviter les tournures trop locales, grimacer avec effort pour ressembler à d'incertains modèles européens. Et bientôt, souffrants, ils devinrent injustes. Marie disait-elle :

— Oh, qu'il fait froid !

Il se trouvait toujours quelqu'un, au regard évasif, sournois, pour demander :

— Tiens, je pensais qu'avec le froid qu'il fait chez vous...

Disait-elle :

— Je n'apprécie pas beaucoup la cuisine à l'huile d'olive.

On expliquait aussitôt avec ce faux pédantisme, que je connais bien, qui se veut détaché, que tous les hygiénistes, pourtant, etc.

Je savais, moi, qu'il ne s'agissait ni de froid ni d'huile d'olive, mais de rendre coup pour coup. Cela me rassurait un peu sur moi-même ; mes griefs contre Marie n'étaient donc pas injustifiés ; mais j'entrevoyais aussi que, peut-être, il n'y aurait pas de solution. C'est qu'il est insupportable à l'homme qu'on mette en question son existence, qu'on l'oblige à ce retour vrillant sur lui-même.

La grossesse de Marie, d'ailleurs, s'avançait et elle avait besoin de repos. Je cessai d'insister pour qu'on nous rendît visite ; et rapidement, nous ne reçûmes plus ces molles invitations et personne ne s'aventura plus jusqu'à la villa.

VII

Marie m'avait interdit d'annoncer sa grossesse ; elle voyait de l'indécence à dévoiler publiquement une affaire tout intime. Sa pudeur me semblait bien inutile, aucun ridicule n'entourant chez nous le ventre le plus prometteur. Au contraire le respect dont elle jouit, les soins attentifs qu'elle suscite augmentent la fierté dolente de la femme enceinte. De plus, le bruit avait couru que nous ne pouvions avoir d'enfants. « Comme l'oncle Félix, le pauvre ! » Nous étions mariés sans résultat depuis un an et demi déjà — Peut-être davantage ! Avais-je dit la vérité ? Avec ces Françaises, le mariage, qu'est-ce que cela prouve ? — Nos jeunes épousées sont enceintes immédiatement après la cérémonie. A plusieurs reprises les femmes de la famille avaient essayé de conseiller Marie.

— Ce n'est pas bon pour la femme d'attendre trop, car elle *sèche vite*.

Même les hommes crurent nécessaire d'intervenir, se croyant plaisamment accueillis :

— Alors ? Et cette poupée, c'est pour quand ? Vous êtes bien chiche, vous savez !

A chaque grossesse des voisines, ma mère soupirait ostensiblement, tordant la bouche et fronçant les sourcils. Cette mimique, d'une sournoiserie puérile, qu'elle voulait à la fois suggestive et discrète, nous faisait tous rire, sauf Marie qui l'a toujours prise au sérieux. Un jour, regardans ma femme avec pitié, elle osa dire :

— Il y en a qui ne peuvent pas s'arrêter et il y en a qui ne savent pas commencer.

Marie jugeait ces intrusions dans notre vie personnelle d'une étonnante grossièreté. Je dus prier puis menacer pour qu'on la laissât tranquille. Je n'obtins la paix qu'après un éclat contre la vieille Liscia. Ils se turent mais ils chuchotèrent : elle devait être stérile. Ils lui en voulurent, un peu plus, de ce quant à soi qui les excluait.

Et, à vrai dire, elle aurait souhaité exclure mes parents de notre vie ; elle ne leur concédait aucun droit sur moi, pas même celui de partager mes joies. De ma mère elle avait peur, comme si la pauvre femme possédait l'affreux pouvoir de dénaturer, de polluer tout ce qu'elle touchait. Il me fallut garder pour moi tout seul, ce bonheur si lourd que j'avais peine à ne pas le partager avec le premier venu.

Enfin Marie ne put cacher davantage un événement que son corps trahissait. Malgré le peu de cas que je voulais faire de l'opinion des miens je me sentis, je l'avoue, soulagé. Et je décidai d'aller, d'abord, au café Manardo où je savais trouver mon père.

Il surveillait une partie de tric-trac, juge écouté dans le petit groupe d'anciens artisans et de tout petits rentiers qui, par tolérance du patron et pour une consommation quotidienne, vivaient au café. Je le touchai presque lorsqu'il sursauta et hâtivement se leva. Malgré son orgueil lorsque j'allais le chercher au milieu de ses amis, il m'entraînait toujours loin d'eux, saisi d'une agitation pudique.

Je ne savais comment lui annoncer la nouvelle. Me croira-t-on lorsque je dirai qu'à cet âge j'étais gêné d'avoir à dévoiler à mon père la grossesse de ma femme ?

Il fallut qu'il m'en fournît lui-même l'occasion. Comme il me confiait que ma belle-sœur était enceinte à nouveau, je lançai, d'un coup, le cœur battant :

— Marie aussi.

Il sembla tituber, comme frappé. Sa voix s'étrangla, ses yeux se remplirent de larmes.

— Mon fils... Ah, mon fils ! Mon Dieu sois remercié ! J'avais si peur... si peur.

Je ne m'attendais pas à un tel bouleversement. Nous étions sortis du café et je marchais à son pas, silencieux, incapable de répondre à sa joie, embarrassé de ma fierté devenue dérisoire. Je me sentais aussi vaguement mécontent de la violence de son émotion, comme s'il avalait gloutonnement ce qui m'appartenait, avant même que j'aie eu le temps de le goûter.

— Ah ! j'ai eu si peur, répétait-il, se calmant, souriant enfin, s'essuyant les yeux du revers de ses grosses mains.

Et cette peur injuste, qu'il avouait si naïvement, m'agaçait ; je me trouvai subitement ridicule de m'être tant réjoui de cette révélation.

Ainsi je voulais convaincre, éblouir ce pauvre homme incertain, plus timide encore devant moi que je ne l'avais été devant lui.

Il bavardait maintenant, lancé, l'allégresse donnant à sa langue une spontanéité rare chez lui. Oubliant que j'étais médecin il me prodiguait, avec un reste d'émotion larmoyante, des conseils populaires pour la réussite de cette grossesse. Je songeai que les silencieux perdent à quitter leur silence et que le prestige de mon père au sein de la famille tenait peut-être au crédit de son mutisme. Enfin, heureusement, il se tut.

Nous nous dirigeâmes vers la maison familiale où je voulais voir ma mère et les autres. Comme nous arrivions à l'entrée de la rue, je sentis mon père hésiter. Il s'arrêta tout à fait et mit sa main sur mon bras :

— Je voudrais, dit-il, te demander quelque chose...

Sa voix tremblait d'une telle inquiétude qu'instinctivement je fus sur mes gardes.

— Ce que Dieu t'enverra sera le bienvenu... mais si c'était... un garçon... tu lui donneras le nom de ton père.

Cette prière — ce n'était pas un ordre, nous le savions tous les deux — me surprit stupidement, et aussitôt me révolta. J'aurais dû, pourtant, m'y préparer depuis des mois mais j'avais préféré n'y pas penser.

Suspendu à mon bras, tout son corps implorant, mon père attendait ; je détournai mon regard de ce visage souffreteux, insupportable. Et nous restâmes ainsi, un long moment, dans ce silence lourd comme un nuage d'angoisse. Il reprenait pied pour ce combat perdu, trop dur pour lui, qu'il lui fallait poursuivre malgré son effroi. Il ouvrit la bouche enfin, faisant effort de tous ses poumons.

— Et pas de... circoncision... non plus... n'est-ce pas ?

Ah ! que j'ai détesté mon père à cette minute ! Son existence même ! Et cette pitié qui m'a causé plus de souffrances que toutes mes révoltes !

Comment n'est pas sortie de ma bouche cette capitulation qui y était prête, peut-être déjà mimée par mes lèvres : « Oui, je te le promets, mon père, rassure-toi, la grande chaîne continuera à travers toi et à travers moi, par mes enfants, jusqu'à la fin des temps » ? Peut-être, simplement, parce qu'il fallait moins de force pour se taire que pour articuler.

Il attendit encore et je sentis enfin sur mon bras sa main se décrisper pour me lâcher. Ah ! il l'avait préparée, lui, son entrevue, il n'avait pas oublié ses devoirs.

Il se remit à marcher lentement, pesamment, et je le suivis. Nous arrivâmes ainsi jusqu'à la porte de l'immeuble, chacun dans son tumulte. Il m'interrogea des yeux : voulais-je encore monter voir les autres ? Je fis signe de la tête : non, c'était inutile, il avait raison. Il entra dans la pénombre de l'escalier et disparut, pauvre messager de nouvelles médiocres.

*

A la fin du déjeuner, j'entrepris de raconter à Marie cette entrevue avec mon père, insistant sur son bonheur et sa reconnaissance, lui faisant un mérite de ce qui m'avait heurté. Elle m'écoutait avec une feinte indifférence, cachant mal sa méfiance. Et ce sentiment qui fut mien une heure avant m'agaçait chez elle. J'hésitai à lui raconter les demandes de mon père et mes refus. Il m'était désagréable de rapporter à ma femme mes violences envers mes parents, qui me coûtaient tant et lui semblaient si naturelles.

— Devine quel est son grand souci ? dis-je enfin, m'efforçant au sourire : que Bébé porte son nom.

Le visage de ma femme aussitôt se ferma, son refus s'y peignit si total qu'il me révolta. Elle quitta la table et alla s'asseoir sur une chaise, bizarrement au milieu de la pièce.

— Ne te sauve pas, dis-je avec irritation, écoute au moins, essaie de comprendre... C'est une tradition si enracinée, si vieille...

Elle ne voulait ni écouter ni comprendre :

— Précisément, ces vieilleries ne m'intéressent pas.

J'aurais pu clore la discussion en lui annonçant ma décision, mais justement j'avais besoin d'en discuter.

— Ce n'est pas tellement scandaleux, essayai-je d'expliquer avec un calme déjà vermoulu, les protestants s'appellent bien Samuel ou Josué, Lincoln s'appelait Abraham et...

— Nous ne sommes pas en Amérique. Un jour nous rentrerons en France : imagine le succès qu'il aura si nous appelons notre fils Abraham comme ton père !

Tout cela, je le savais, je l'aurais soutenu moi-même. Les nouvelles générations abandonnaient de plus en plus les prénoms ancestraux pour d'autres moins signalétiques et quelquefois si d'avant-garde, comme Ludmilla, Gladys ou Hilda, qu'ils en étaient comiques et paradoxalement révélateurs. Je pouvais aussi lui proposer un moyen terme assez usité : laisser le prénom religieux en second et l'enterrer ainsi dans le bulletin de naissance. Mais l'ironie de ma femme, son refus si catégorique, me blessaient. Son acharnement aussi à me tirer dans sa direction m'inquiétait presque autant que les exigences de mon père.

La suivre davantage me parut soudain une défaite aux conséquences inconnues, démesurées. Il fallait lui fixer des limites. L'image de l'enfant vivant, existant, s'imposa à moi avec netteté : il me sembla nécessaire qu'il participât de moi, qu'il me ressemblât, qu'il fût également mien.

— D'ailleurs, criai-je presque affolé, m'étonnant moi-même de ce que je disais, je t'avertis que je compte le faire circoncire !

Ainsi, beaucoup de décisions que je n'osais prendre dans le calme, sortaient de moi à la faveur de l'orage, l'éclat de voix entraînant mon adhésion.

Je vis se décolorer le visage rose de ma femme ; elle ne répondit pas d'abord, puis brièvement :

— Non, tu ne le feras pas. Je ne le veux pas.

Elle ne m'avait jamais parlé sur ce ton.

— Tu ne *veux* pas ? Tu ne *veux* pas ? balbutiai-je, ne sachant comment répondre à une situation toute nouvelle.

Mon effarement troubla Marie qui, enfin, trop tard, voulut accepter la discussion.

— Tout le monde ne pratique pas la circoncision, en France...

— Nous ne sommes pas encore en France, dis-je... et puis, avouai-je malgré moi, il ne s'agit pas uniquement de cela.

— C'est bien ce que je crois : tu le fais contre moi ; contre moi, répéta-t-elle sourdement.

Je haussai les épaules.

— Tu dis des sottises.

— Non, je ne dis pas de sottises et tu le sais bien. Si tu avais épousé une femme d'ici, tu n'aurais pas trouvé ce refus scandaleux de sa part. En réalité, tu n'as pas confiance en moi, tu me soupçonnes toujours de je ne sais quelle trahison.

Que lui aurais-je dit ? Qu'elle avait raison en partie, et que c'était encore plus grave. Subitement, pour la première fois, ce qu'elle signifiait malgré elle, l'avenir que nous aurions ensemble, me faisait peur. Je n'eus ni le courage de parler ni de la rassurer.

Nous eûmes ce jour-là la scène la plus sérieuse depuis notre arrivée.

— Ah ! disait-elle douloureusement, tu me surveilleras toujours, tu douteras toujours de moi, tu me demanderas toujours des gages, et pourtant je t'ai tout donné, tout !

— Tu as beaucoup cédé, affirmai-je avec dureté, tu n'as jamais offert.

Ma dureté verbale a toujours dépassé mon exacte pensée mais par amour-propre, gaucherie, j'étais incapable de rattraper les énormités que je lançais.

Elle pleurait lourdement de tout son corps déformé, maladroit. Je tournais à grands pas autour d'elle, dense et pesamment jetée sur cette chaise incommode, disgracieuse dans ses vêtements de grossesse comme une sculpture non terminée. Je me sentais odieux, honteux de cette lutte inégale avec cette femme prisonnière de l'extraordinaire travail qui s'effectuait en elle. Et, cependant, sa faiblesse même, trop nue, trop complète, la rendait invincible, si protégée de tout assaut, qu'elle m'irritait, me provoquait. Des deux, peut-être n'était-elle pas la plus faible.

— Ecoute, la suppliai-je, laissons tout cela, n'en parlons plus, peut-être aurons-nous une fille...

A peine releva-t-elle le front, obstinée :

— Et si nous avions un garçon ?

Elle se refusait le sursis et me traquait.

— Je ne peux pas ! criai-je, je ne peux pas t'accorder cela.

— Dis plutôt que tu ne veux pas.

Comprendrait-elle ? Il me semblait, maintenant, que des forces supérieures aux miennes me poussaient dans le dos, que si je reculais j'écraserais dans ma chute d'autres êtres, un univers entier.

— Essaie de me comprendre : je ne peux pas, je ne veux pas et je ne dois pas.

Ah ! comme je souhaitais que ce fût une fille ! Ce n'était que repousser provisoirement le problème ? Reconnaître ma faiblesse avec humilité ? Oui, j'aurais tout accepté pour cesser, un temps, ce déchirement, pour me croire, un moment, en accord avec tous ! pour me croire en paix !

Elle, au contraire, préférait en finir : elle désirait un garçon, elle affirmait ses préférences. Alors que j'essayais de tourner les obstacles, elle semblait toujours aller droit au-devant des butoirs.

— Pourquoi, lui demandai-je, pourquoi recherches-tu toujours le plus difficile pour nous ?

— Parce que j'existe ! répondit-elle amèrement.

*

Pendant quelques semaines je m'abstins de revoir mes parents ; et, contrairement à leur habitude lorsque je tardais à leur rendre visite, ils ne dépêchèrent personne. Une après-midi, enfin, ma mère serrant des deux mains son châle espagnol apparut dans l'allée d'eucalyptus, efflanquée comme un vieux chat. Marie, aussitôt, s'enferma dans sa chambre.

Après un pâle et rapide sourire, ma mère s'assit, ses yeux noirs encore agrandis. Ses doigts maigres gigotaient, tapotaient sur son sac. Au bout d'un quart d'heure, le maximum qu'elle ait jamais pu supporter chez moi, elle se leva, et seulement sur le seuil dit :

— Je suis venue te demander de revenir nous voir...

Appréhendant l'inévitable atmosphère de tristesse et de reproches, j'hésitai encore une dizaine de jours. Lorsque j'y retournai enfin je fus bien surpris d'y retrouver un accueil affectueux et presque détendu. Pour conjurer une décision qu'ils jugeaient monstrueuse ils avaient choisi un comportement magique : ils se réjouissaient et préparaient les fêtes religieuses pour la naissance d'un garçon comme si l'affaire était ainsi entendue. Et, Marie prétextant son état pour ne plus paraître chez eux, ils pouvaient en parler en toute liberté : nous étions entre nous. Avec naturel, à peine si leurs cils battaient, ils me demandaient des nouvelles du petit Abraham. Ils me faisaient toutes sortes de recommandations pour protéger la grossesse de Marie, fragile enveloppe de leur petit-fils. Je devais épier ses envies, l'empêcher de croiser les jambes de crainte que l'enfant n'étouffât, etc.

J'aurais dû, peut-être, rompre ce stupide jeu collectif, j'avoue que je n'en eus pas le courage. Je constatai, une fois de plus, combien ils tenaient à moi et combien je leur appartenais. Pour mon père je n'étais pas seulement son fils mais un anneau de la grande chaîne. Je comprenais la responsabilité qui, d'après lui, m'incombait, et qu'il croyait me préserver d'une trahison. Si je ne donnais pas son nom à son petit-fils circoncis, comme j'avais reçu celui de mon grand-père, j'éteindrais cette survivance, j'étoufferais l'écho de ce verbe qui, sans ma faute, se répercuterait jusqu'à la fin des temps. L'avouerai-je ? quelquefois je m'étonnais de l'espèce de grandeur de cet élan, de cette défaite du temps par la mémoire des hommes. Le plus souvent, oppressé par ce carcan millénaire, je me félicitais d'avoir dit non, de m'être protégé à tout hasard, même si je ne savais pas encore ce que je ferai.

Je les laissai donc parler et rêver devant moi et se réjouir, les limitant parfois lorsqu'ils se faisaient trop envahissants. Comme le jour où ma mère annonça, péremptoire, devant moi : « Nous avons décidé de l'allaiter. » Alors, ils vacillaient comme au sortir du sommeil et je voyais dans leurs yeux passer une ombre d'effroi... mais aussitôt ils reprenaient leur bavardage.

Avec ma femme, non plus, je ne revins pas sur ma décision. Nous évitâmes, les jours qui suivirent, de rouvrir le débat. Chacun ruminait de son côté, surveillé par l'autre, nos gestes et nos regards alourdis de cette hypothèque. Elle ne prenait, bien entendu, aucune des précautions qu'on lui conseillait. Je lui disais, quelquefois, que la médecine ne s'opposait pas, absolument, à toutes les recettes traditionnelles ; qu'elle ne conseillait pas, par exemple, de lever des objets trop lourds. D'un mot elle m'arrêtait. Elle croyait voir de quoi mon vin était coupé. Je m'en irritais davantage contre mes parents que contre elle. Enfin son refus était si complet que je n'aurais pu, de toute manière, lui faire part de mes doutes.

Lorsqu'elle entra en clinique j'étais arrivé à ce beau résultat d'avoir dit non aux deux parties, me mettant ainsi dans la nécessité d'une capitulation vis-à-vis de l'une ou de l'autre. Ce comportement aberrant, contradictoire, me devenait d'ailleurs de plus en plus fréquent. N'était-ce pas la meilleure preuve que chez moi orgueil et logique lentement s'abolissaient ?

VIII

D'un seul coup, je surgis hors de cet engloutissement du premier sommeil qui nous amarre à la nuit. Marie m'avait à peine touché l'épaule ; je bondis hors du lit et commençai à m'habiller sans la quitter du regard. Depuis plusieurs jours, sans y croire, je guettais ce miraculeux signal de l'enfant.

— Oui, balbutia-t-elle, je crois que c'est ça.

Elle me souriait, les yeux un peu brillants, les joues trop roses, petite fille courageuse refusant son angoisse. Elle me rappela fortement une même image d'elle ainsi consentante et apeurée, celle exquise du soir des noces.

Maladroitement elle essayait de s'habiller lorsque, déjà prêt, je vins à son secours. Puis je pris la petite valise, où la layette attendait depuis un mois et nous sortîmes. Minuit passé depuis longtemps, le village abandonné, rien ne bougeait ; nous étions seuls dans le drame qui allait commencer, sanglant et mortel peut-être. Je regrettai, en cet instant de solitude, d'avoir obéi à Marie.

— Je te demande de n'avertir personne ! Je veux qu'on me laisse accoucher en paix.

Le remue-ménage familial, même vain, m'aurait rassuré. Ils auraient fait du bruit, ouvert les tiroirs des meubles et les placards, invoqué Dieu et les saints ; c'était leur manière à eux de nous assister. Cette nuit silencieuse, je devais reprendre à mon seul compte, sans intercesseur et sans aide, toutes les grandes épreuves ; le mystère de la création et de la mort possible, le surgissement inexplicable de mon enfant, la douleur de ma femme, dont je n'étais pas totalement innocent...

A peine la remis-je entre les mains des infirmières que l'affaire commença. Devant mon agitation, l'accoucheur, Stora, que j'avais connu à la Faculté, me demanda de sortir ; et je restai devant la porte fermée, allant et venant dans l'étroite antichambre. Elle ne criait pas comme je l'appréhendais ; elle gémissait longuement et, quelquefois, au milieu de cette expiration forcée, brusquement s'arrêtait, se refusant de respirer. Alors je ne supportais plus d'attendre sa voix et impuissant à détourner mon attention je me réfugiais au fond du couloir. Puis me reprochant ma fuite trop commode, je revenais vers elle enchaînée à sa souffrance ; et torturant mes lèvres je prêtais l'oreille, avide de tout deviner.

La porte s'ouvrit et Stora en sortit calmement, me découvrit sans curiosité. Je freinai mon élan comme je pus.

— Eh bien ?

— Un peu étroite, on va l'endormir.

— Ce n'est pas ?...

Ses yeux froids de chirurgien ne bougèrent pas, ses lèvres seules ricanèrent sans bruit.

— Vous êtes tout pâle ! Venez voir si vous voulez. C'est son premier, quoi ! Vous savez ce que c'est.

Et il s'en alla vers la salle d'opération. Non, je ne savais pas. J'avais assisté à d'autres accouchements : c'étaient toujours les femmes des autres, jamais je n'avais eu leur souffrance véritablement à charge.

La porte, heurtée durement, s'ouvrit à nouveau. Une infirmière s'avança précédant un brancard : la tête exsangue seule découverte, Marie inanimée sous le drap blanc. La présence des infirmières me séparait davantage encore de ce corps abandonné, pour lequel je ne pouvais rien. J'assistai sans bouger à son passage dans le couloir ; et au moment où le brancard aborda la salle d'opération le cortège se noya dans une mouvante buée.

Et je me plaignais de ma solitude ! Qu'elle était plus seule que moi ! Loin de sa famille, de ses amis, de son pays ! Sans personne que ma gauche impuissance ! Tout l'accablait, tout conspirait à l'isoler davantage ; sa famille n'avait montré aucun empressement à venir l'assister ; l'enfant ne serait pas baptisé, il n'était pas des leurs. Et moi, au lieu de me multiplier pour remplir tous les rôles, qu'avais-je fait durant cette grossesse ? Je n'avais même pas été un mari attentif, le futur père de l'enfant. Entièrement occupé par ma décision, j'étais comme un équilibriste avec son balancier que le moindre souffle d'air faisait pencher dangereusement d'un côté ou de l'autre.

Les jours de faiblesse, je me voyais déjà séparé de tous, étranger dans mon foyer, abandonné bientôt par mon fils. Et je me découvrais facilement des devoirs qui légitimaient ma peur : pouvais-je dans un tel moment historique me différencier des opprimés, refuser que mon fils soit des leurs ? D'autres fois, me sentant de force à supporter cette aventure nouvelle, mon devoir me paraissait tout autre : je devais aller contre les préjugés. Que je sois parmi les premiers serait un surcroît d'honneur !

Ah ! j'ai bien pensé à elle ! Lorsque dans les dernières semaines, entrée dans un merveilleux engourdissement, elle avait restreint sa pensée à l'univers de l'enfant, je lui en voulais de ce bonheur qui m'abandonnait !

Combien a duré ce silence dans ce couloir sans fenêtre ? Combien de fois me suis-je assis sur chaque chaise, ai-je refait le parcours de la chambre vide à la salle d'opération ?

Soudain l'infirmière sort, je me lève ému jusqu'à l'essoufflement ; elle se retourne, me sourit :

— Un fils ! Un garçon !

— Ma femme ?

Sans s'arrêter elle tourne encore la tête :

— Tout va bien ! On attend la délivrance.

Je me rassis, subitement détendu et harassé. La porte de la salle d'opération restait ouverte, il n'y avait plus personne sur la table et par la fenêtre le jour pénétrait jusque dans le couloir. Je pouvais fumer, regarder enfin autour de moi. La clinique était un appartement d'accouchée, la veilleuse, une lampe oubliée par mégarde et l'angoisse se dissipait dans cet ordre de bois peint et d'objets domestiques.

Une bonne odeur de café ; c'était le matin. Avantages de ces cliniques familiales : passé le danger on y oublie la médecine. Je cherchais à deviner à travers les portes... « Office » : je poussai le battant. Spectacle inattendu : entre l'évier et le frigidaire, sur une longue table, gigotaient trois nourrissons tout frais. Je les regardai avec une curiosité neuve. Deux étaient clairs, la peau transparente, le troisième foncé. Je me surpris à souhaiter que mon fils fût brun !

Importante, les bras chargés de linge entra l'infirmière.

— Ah ! vous l'avez trouvé ! Il est encore tout sale !

— Qui ? Mon fils !... Lequel ?

— Ah ! c'est drôle ça ! Le voilà !

C'était le brun. Non, je n'étais pas vexé de ne pas l'avoir découvert tout seul. Il pleurait comme les autres d'une voix encore inhumaine, les tempes et le nez souillés de sang, il émergeait à peine des mêmes phénomènes biologiques. Mais les autres avaient cessé de m'intéresser. J'examinai avec étonnement l'étrange petit être. Pouvait-on dire qu'il était beau ?

Avec rapidité et indifférence l'infirmière se mit à manipuler... mon fils — le possessif me sembla bizarre et pourtant déjà légitime — je faillis intervenir. Ces vieilles méthodes ! Pourquoi cette brutalité ? « Le psychisme de l'enfant est immédiatement réceptif... ». Je me retins de peur qu'elle ne se moquât de moi.

— Vous admirez votre fils et votre femme vous attend !

C'était l'accoucheur. J'étais confus devant l'impitoyable rictus des lèvres.

— Je pensais que...

Je me précipitai dans la chambre, abandonnant mon fils. Les yeux encore vagues, Marie me sourit à travers les espaces vides de l'anesthésique. Mon émotion de toute la nuit revint et une infinie tendresse m'emporta vers elle. J'aurais voulu lui exprimer ma solidarité et aussi ma reconnaissance. Mais je restais debout près du lit, embarrassé, et ce fut elle qui chercha ma main ; je la lui livrai précipitamment.

— Je voudrais, dis-je, un peu au hasard, je voudrais que tu oublies... que tu ne croies pas que...

Elle serra ma main, protestant faiblement.

— Laisse... laisse...

J'aurais souhaité lui dire aussi que j'avais découvert sa solitude et que je m'en sentais responsable. Que j'étais prêt à de nouvelles promesses, définitives, à un nouveau départ avec elle et notre fils. Mais je ne savais quoi promettre.

— Je voudrais, balbutiai-je, que tu comptes sur moi... je ferai en sorte que...

Elle m'écoutait encore lointaine mais heureuse, me semblait-il.

Nous reparlerions de tout cela. Il fallait d'abord qu'elle se reposât ; j'avais moi-même besoin de sommeil. Elle me demanda quelques objets qu'elle avait oublié d'emporter.

*

Pour rejoindre notre maison il fallait traverser tout le village. Nous étions en pleine fête sacrée de Roch-Achana et je préférai ne pas circuler en voiture au milieu des fidèles scandalisés. Nous étions assez surveillés comme cela. Je rangeai la voiture au début de la côte puis, malgré ma fatigue, entrepris de gravir à pied la colline. J'aurais pu aller chez mes parents mais ils se seraient précipités à la clinique contre le gré de Marie.

Onze heures déjà lorsque je me réveillai. Je ne voulais pas laisser Marie seule trop longtemps ; je réunis rapidement les objets demandés, les fourrai dans une mallette et ressortis. Je n'aimais guère, d'ailleurs, m'attarder dans la maison déserte.

Je fermai la porte de la grille lorsque je vis arriver, à l'autre bout de la rue, le rabbin. Je ne lui avais jamais parlé, ne fréquentant pas la synagogue et ne me mêlant guère à la vie du village. Il semblait, pourtant, venir vers moi. Il voulait peut-être me féliciter ; les nouvelles allaient très vite par ici. A tout hasard, je l'attendis.

C'était bien vers moi qu'il se dirigeait. Et je préparais mes remerciements lorsque, arrivé tout près, il leva sa main droite et, souriant d'un demi-sourire tiède, la posa sur ma tête. Puis il se mit à prononcer la prière de la naissance.

J'étais tellement surpris que je restai immobile comme un insecte soudain ébloui. Le seul sentiment qui m'envahit fut la honte d'être aperçu. Mais je ne bougeai pas la tête, comme si la main du vieillard eût été en plomb ou qu'il m'eût paralysé. Par le seul mouvement de mes yeux j'inspectai les alentours pour voir si le piège avait des spectateurs. La prière, heureusement, fut courte.

— Amen ! commanda-t-il.

— Amen ! répétai-je mécaniquement.

Souriant à nouveau, mi-officiel, il mit la main dans sa poche et en tira une poignée d'amandes et de raisins secs. Avait-il donc tout préparé ? La cérémonie, en tout cas, fut complète. Avec ou sans mon consentement Dieu et les prêtres avaient eu leur compte. Sans plus s'occuper de moi, le vieillard qui m'avait à peine regardé, laissant aller au loin ses yeux de presbyte, me tourna le dos.

Les doigts encore crispés sur les fruits secs je sortis de cette catalepsie pour être envahi de fureur.

— Ah, je refuse ! Il faut tout refuser ! sinon, de concession en concession, à quelles lâchetés n'aboutirais-je pas ? Il n'y a pas de limites aux abandons !

Je redescendis la côte à grands pas rageurs. J'avais besoin de retrouver Marie et je savais maintenant ce que je voulais lui dire. Elle avait raison ; c'était contre elle, contre ce qu'elle signifiait que je revivais la tradition. Elle ne voulait pas partager ? Les autres non plus ne partageaient pas ! Il me fallait donc choisir ! Je choisirai dans le sens de Marie, le seul qui me laissât ma dignité !

Aussitôt dans la chambre, sans même lui demander de ses nouvelles, je jetai à ma femme :

— J'ai décidé de ne pas faire circoncire Bébé !

Sitôt dit, je me sentis d'une fierté de conquérant, je regagnais ma pleine liberté un instant menacée. Marie, appuyée sur des coussins, vêtue d'une liseuse bleu clair, les cheveux lissés, les lèvres discrètement rougies, m'attendait, calme image du bonheur confiant. Et j'avais mis tout cela en péril !

Elle me regarda avec tendresse mais ne parut pas tellement étonnée.

— Je suis heureuse, dit-elle, très heureuse de ta décision... mais tu sais, je t'aurais laissé faire, si tu avais insisté... j'ai beaucoup réfléchi, peut-être en avais-tu besoin.

Je fus joyeusement surpris de sa bonne volonté mais aussi un peu déçu. Il ne m'était pas agréable, non plus, qu'elle découvrît ma faiblesse. Il était temps de me reprendre.

— D'ailleurs, ajouta-t-elle timide, je te dois des excuses : j'ai manqué de confiance... j'ai même pensé que tu regrettais ton mariage.

Je protestai avec indignation :

— Oh ! tu as remis en question...

— Non ! non ! c'est fini ! je ne doute plus ! j'avais eu peur, en te voyant repris par les autres... si fermé... maintenant je sais combien tu tiens à moi.

Elle s'émut :

— Je ne doute plus ; j'ai vu cette nuit ton désarroi, ta tendresse...

Elle sourit, malicieuse et les yeux subitement embués.

— Tu as même pleuré !

— Ce n'est pas vrai !

— Oh que tu es bête, mon chéri ! Pourquoi me le cacher ? Cela m'est très doux... tu as pleuré lorsque tu m'as vue étendue sur le brancard !

— Qui te l'a dit ?

— Stora !

— Oh, le traître !

— Non, il a bien fait, puisque tu vois, je reconnais mes torts.

— Non, dis-je, c'est de ma faute, j'ai manqué de courage.

— Peut-être un peu, mais, moi aussi, j'ai compris beaucoup de choses.

Puis elle me proposa d'appeler notre fils Emmanuel sinon Abraham comme mon père. C'était couper la poire en deux et j'eus envie, un instant, d'accepter. Je savais aussi que n'ayant pas mes tumultes qui me faisaient si instable, si prompt au repentir, elle ne regretterait pas ce qu'elle m'accordait. Mais je me devais, maintenant, de pousser dans la voie de la plus grande maîtrise de moi-même. Fort de sa confiance retrouvée, je me sentais si superbe qu'il me devenait impossible de reculer d'où j'avais atteint.

— Non, je ne ferai rien de tout cela, réaffirmai-je avec orgueil, espérant puérilement que mon courage lui fût évident.

Il me restait à annoncer la nouvelle à mes parents. Je ne supporterais aucun reproche, je ne ruserais même pas, j'en avais fini avec cette continuelle et indigne acrobatie, un mensonge par ci, un mensonge par là. Ils en seraient peut-être gravement blessés, mais j'aurais la cruauté nécessaire.

Le sort en décida autrement. Je trouvai l'immeuble dans l'ébullition des grands événements familiaux : ma jeune belle-sœur venait de mettre au monde un garçon prématuré. On m'accueillit par des exclamations de surprise presque déçue : il y avait danger à nommer du même nom, dans la même famille, deux enfants nés dans l'année. Difficile problème : qui allait bénéficier du nom de notre père ?

Grand prêtre occasionnel, entourée par tous, ma mère me demanda :

— Voyons : le fils de ton frère est né à dix heures du matin, *exactement* à dix heures, dis-moi à quelle heure *exactement* est né le tien ? Seul le premier né s'appellera Abraham !

Elle me fixait dans les yeux, anxieuse, importante de l'attention générale. Implorait-elle le mensonge comme lorsqu'elle voulait m'aider, enfant, contre mon père ? Ou simplement espérait-elle que la chance nous ferait éviter un sacrilège ? J'hésitai et faillis dans le silence dire la vérité comme lorsque naguère je refusais son assistance. Mais fallait-il chercher la bataille à tout prix ? L'essentiel n'était-ce pas de ne rien concéder ?

— Mon fils, dis-je enfin, est né à midi.

— Ah, dommage ! s'exclama-t-elle soulagée et déjà menteuse, dommage ! Tu es l'aîné et tu ne profites pas du nom !

Puis le danger oublié, prise à son propre jeu, elle s'en alla raconter partout ma désolation.

— Je lui ai dit, ajoutait-elle, finaude : « tu es jeune... ce n'est que partie remise. »

Ainsi les lois qui me compliquaient la vie,

d'elles-mêmes me la simplifiaient. Je m'abstins, cependant, de rapporter à Marie les détails de l'histoire.

A la veille de la sortie de clinique l'accoucheur me demanda, plaisantant :

— Alors ? On la lui coupe ou non ?

Bien qu'habitué à sa brusquerie, je sursautai. A brûle pourpoint, pour l'attaquer à son tour, je lui retournai la question :

— Et vous, à ma place ? L'auriez-vous fait ?

J'eus le plaisir de le voir se troubler et perdre son ironie.

— Je ne sais pas, finit-il par répondre.

— Eh bien, dis-je un peu sèchement, moi je ne le fais pas.

— C'est courageux.

Il avait parlé, je crois, avec sympathie, comme s'il découvrait ce problème pour la première fois.

IX

Mes parents avaient été moins naïfs et résignés que je ne l'avais cru. J'espérais les avoir convaincus de ma fermeté ; en fait, après leur affolement des premiers jours, ils s'étaient renseignés et furent, en partie, rassurés. Le problème du prénom providentiellement réglé, ils reportèrent celui de la circoncision à des temps plus propices. Et dès le retour de Marie et du bébé, ma mère recommença ses visites.

Personne d'autre n'osait plus frapper à notre porte et j'allais chez mes parents le moins souvent possible. De loin en loin, poussé par un remords inavoué, je faisais mine de passer par hasard au café Manardo. Lorsqu'il m'apercevait, d'un seul mouvement où entrait une déférence qui me gênait, un plaisir qu'il cachait mal, mon père se levait. Sans l'espoir de me voir accepter il me proposait une consommation, puis, hésitant, il ne pouvait s'empêcher de dire : « Il y a longtemps que je ne t'ai vu... » Je bredouillais, plus que lui, n'importe quoi, qu'il entendait à peine dans le brouhaha des joueurs de tric-trac. Il souriait, triste, soumis. Nous ne disions rien de plus, à cause du bruit et aussi parce que pesait sur nous ce qui, désormais, nous séparait. Rapidement je prenais congé. Il murmurait : « Que Dieu te vienne en aide. » Il était grave et pénétré comme s'il savait que j'aurais cruellement besoin de cette aide toute-puissante.

De temps en temps, vers cinq heures de l'après-midi, on tambourinait avec une timide gaieté contre le portail. Aussitôt naissait l'agacement de Marie et malgré moi je souriais : c'était ma mère. Elle arrivait quelquefois avec l'une de ses sœurs ou de mes tantes paternelles ; elle l'avait rencontrée par hasard, tout à fait par hasard, expliquait-elle avec une inlassable naïveté. Et sans attendre la réponse de Marie, elle entraînait la tante de ce jour-là auprès du berceau du Bébé. A cette heure l'enfant dormait. Pouvait-elle le réveiller ? Marie refusait presque scandalisée :

— Voyons, mère, il vient juste de s'endormir !

Ma mère soupirait résignée et repartait, avec son invitée, à travers la maison, ouvrant toutes les portes, cuisine et débarras compris, commentant avec emphase.

Ni la froideur ni l'agacement parfois manifeste de Marie ne purent décourager ma mère. Ces visites étaient son devoir et son droit. Pourquoi, seule d'entre les mères, n'aurait-elle pas le droit de s'enorgueillir de ses enfants et petits-enfants ? Nous n'avions pas organisé de fête pour présenter le bébé à la collectivité, je n'avais jamais, non plus, fait les honneurs de la maison, comme il se doit pour tout nouvel occupant. Elle faisait tout cela à ma place, en y mettant plus de temps, voilà tout. C'est ce que j'essayais d'expliquer à Marie.

— Et pour cela, a-t-elle besoin de dire « Notre maison, notre jardin » ? ce qu'elle est envahissante !

Sournoisement, je proposais à Marie :

— Veux-tu que je lui demande de ne plus revenir ?

Elle protestait un peu effrayée, espérant vaguement que j'agisse tout seul.

— Non, ce n'est pas possible.

L'inspection terminée ma mère s'asseyait sur le divan. Elle tirait de son petit couffin un sandwich, un œuf, qu'elle partageait avec sa sœur. Pour elles, nous habitions si loin qu'elles croyaient venir en pique-nique. Et tout en mangeant, petite fille jouant à la grande personne, elle donnait des conseils ménagers à sa bru, à peine patiente. Conseils inutiles, inadéquats, mais elle était ma mère, la grand-mère de mon fils et la belle-mère de ma femme : elle avait des obligations.

Subitement, au milieu de la conversation, elle bondissait en direction de l'escalier. Ce n'était qu'une chèvre qui avait bêlé dehors. Elle se rasseyait et restait, moitié par comédie moitié par conviction, l'oreille tendue. Comment pouvions-nous nous obstiner à laisser Bébé tout seul au premier étage ?

— Tu n'étais pas comme ça, soupirait-elle. Tu avais beaucoup de tendresse pour tes petits frères.

Cela signifiait : « Tu as subi de mauvaises influences. » Heureusement, ma femme ne comprenait pas le patois, qu'elle refusait d'apprendre, et ma mère ne connaissait que quelques mots de français.

Mais la tante avait-elle la mauvaise et perfide idée de l'approuver :

— Oui, *elles* ne sont pas comme nous...

Aussitôt elle contre-attaquait avec une vigueur qui laissait l'autre interloquée.

— Non, ma chère, *elles* ne sont pas comme nous ! Elles en savent tellement plus ! Regarde leurs enfants : regarde ces joues ! Des roses ! Si tu égratignes, le sang gicle !

Car toute attaque contre Marie était une dépréciation de ma personne et d'elle-même ; elle seule avait droit à ces critiques maternelles.

Depuis un moment elle ne grignotait plus que du pain, il ne lui restait ni œuf, ni anchois.

— As-tu des olives ? me demandait-elle.

Je n'en avais pas.

— Non ? As-tu un poivron salé ?

Je n'avais rien de tout cela.

— Mon pauvre enfant ! Ça ne m'étonne pas que tu maigrisses ! Tu ne manges plus ce que tu aimes !

Marie changeait de position sur son siège.

— La prochaine fois je t'apporterai un plein bocal d'olives et un autre de poivrons.

Je l'assurai que cela ne me manquait pas.

— Assez ! Tu en mangeais des quantités !

C'était possible ; mais je devais avoir changé également là-dessus, puisque je ne supportais plus les salaisons à haute dose.

— Ecoute, ma fille, disait-elle à Marie, c'est très facile : tu achètes un kilo d'olives au marché, tu les mets dans l'eau. Pas besoin de les rincer, car tu vas jeter cette eau. Tu changes l'eau tous les jours, quatre jours de suite, le quatrième tu sales copieusement, tu ajoutes un morceau de citron... et voilà, c'est tout. Ah, de temps en temps tu enlèves un peu d'eau... parce que tu sais, le sel laisse échapper de l'eau.

Marie écoutait poliment ; elle bouillait. Tout à l'heure elle me dira :

— Ce qu'elle m'agace avec ses conseils stupides !

Pour prévenir ses reproches et la soulager un peu, je répondais à sa place :

— Voyons, maman, si tu crois que nous n'avons rien à faire !

Ma mère regardait sa sœur et soudain, incohérente en apparence :

— Sais-tu ce que je pense, moi ? Eh bien elles ont raison les jeunes femmes d'aujourd'hui : sortir, s'amuser, vivre ! Nous, nous avons passé notre vie devant le canoun.

Puis à moi, puisque Marie ne le fera pas :

— Ecoute, mon fils : achète plutôt des olives noires, alors là : rien ! Tu sales et tu manges ! Tu sales et tu manges ! Un don de Dieu, mon fils, un don de Dieu !

Marie se levait ; elle avait sa mesure pour aujourd'hui :

— Excusez-moi, mère, j'ai affaire là-haut.

— Tu vois, ma chère, disait ma mère à sa sœur, tu vois comme elle est courageuse ; elle ne sait pas s'arrêter de travailler.

Et en direction de la porte par où Marie, sans attendre sa permission, s'était déjà esquivée, elle ordonnait avec majesté :

— Va ma fille, va, je t'excuse.

Alors, enfin, ma mère passait à l'essentiel, qui ne regardait que nous, à l'exclusion de Marie. Baissant la voix, créant une complicité qui me mettait aussitôt mal à l'aise, elle me demandait des nouvelles de notre affaire : qu'avais-je décidé pour la circoncision ? Je répondais sèchement que rien n'était changé. Elle soupirait devant mon obstination, se taisait un moment puis reprenait son bavardage.

Un après-midi, elle vint seule. Après le rituel d'usage elle attendit, comme d'habitude, la disparition de ma femme. « J'ai rencontré, me dit-elle, grâce à une coïncidence, assurément voulue par Dieu, Boukhris, ton circonciseur, le tien propre ! » Et Boukhris lui avait fait une étonnante révélation. Feignant un embarras désintéressé, elle m'expliqua :

— Il ne peut pas faire autrement, m'a dit Boukhris, non, il ne peut pas... s'il ne circoncit pas son fils... après... — que Dieu lui fasse une longue vie ! mais il faut penser à tout. Après, son fils ne pourra pas hériter de lui.

A vrai dire, mes parents le savaient depuis assez longtemps, mais ils n'osaient pas m'en parler. Elle hésita, puis avec une brutalité qui ne lui était pas coutumière, empruntée à coup sûr aux conciliabules familiaux, elle précisa :

— D'ailleurs, sais-tu que d'après les lois : ce n'est même pas ton fils ?

Je hurlai des sottises, lui assurai que je n'étais pas davantage son fils, qu'il valait mieux qu'elle ne nous rende plus visite et que je n'aille plus chez elle, puisqu'elle ne pouvait s'empêcher de revenir sur cette histoire. Je lui jurai que cette circoncision n'aurait jamais lieu quel qu'en fût le prix.

Sous l'avalanche elle garda les yeux au sol, les lèvres amincies, tendues sur les dents. Lorsque je me tus, elle ramassa ses miettes, les mit dans son couffin et se leva. Elle regarda par la fenêtre.

— On dirait, rusa-t-elle, que le soir tombe plus vite ici.

Sa mission était, après tout, remplie et c'était plus qu'elle n'en pouvait supporter. Elle hésita :

— Tu sais... tu peux faire ce que tu veux. Mais ne nous oublie pas... nous sommes tes parents, qui t'avons vu naître.

Au moment où je refermai derrière elle la porte de la grille, elle ne put s'empêcher de me dire, à travers les barreaux, la voix presque naturelle :

— Pour ton bébé... si ta femme tient absolument à le laisser seul là-haut... mets-lui sous son oreiller un couteau et un livre sacré.

X

Ma mère partie, je me précipitai chez Marie et, contre mon habitude, lui racontai tout. Ce fut une erreur ; c'était mon fardeau et non pas le sien. Mais je me croyais désormais sûr de moi ; je lui redis avec passion qu'elle seule m'importait, que j'en avais fini avec les concessions aux autres ; je n'allais pas hésiter dans mon choix pour des questions d'argent. Et affirmant cela devant elle, je me consolidais, prenais des forces pour ne pas faiblir.

Marie m'écouta avec attention, sans toutefois partager mes fureurs. Elle se montra reconnaissante de ma fermeté envers ma mère ; mais celle-ci n'avait-elle pas dit la vérité ? Peut-être était-il exact que ni ma femme ni mon fils n'étaient miens au regard de la loi qui nous régissait. Il valait mieux le vérifier et, au besoin, y pallier. Alors que j'appréhendais le moindre recul, Marie sachant ce qu'elle voulait et instinctivement assurée de retrouver sa voie, pouvait, sans danger, envisager de s'en écarter.

Et ce fut elle qui, quelques jours après, m'en reparla posément. Nous ne possédions pas grand-chose, certes ; quelques meubles, une partie de la maison ; mais la maison serait un jour payée, nous finirions par nous constituer un mobilier. Que ma famille pût, à la place de notre enfant, recueillir les fruits de mon travail et de ses soins, lui semblait une spoliation ; un scandale d'autant plus cruel qu'elle restait hostile à cette solidarité familiale qui nous faisait considérer les biens de chacun comme richesses communes. Elle risquait — il n'y avait pas de mal à y songer — d'être plus tard sans ressources, avec nos enfants. Enfin, et c'était le plus pénible, elle ne supporterait pas de vivre toujours dans cette incertitude juridique. Bref, elle était d'avis de faire tout le nécessaire pour protéger légalement notre union.

Je dus lui promettre de m'occuper rapidement de cette nouvelle affaire. Ainsi dans mon étourderie j'avais préféré croire qu'il suffisait de se vaincre pour mériter sa liberté : il ne fallait pas l'espérer avant d'affronter le monde entier.

Je n'entrevoyais pas par quel détour j'arriverais à faire reconnaître ma femme et mon fils. Je ne savais pas même à qui m'adresser, pour un conseil sur une situation qui rompait avec les habitudes de tous. Il me répugnait d'avoir à dévoiler mes tourments à n'importe qui, et je n'avais pas un seul ami véritable. C'est l'orgueil, je pense, qui m'a donné la force de laisser croire, pendant si longtemps, que notre union était harmonieuse. Avouer nos difficultés aurait été admettre une défaite, d'autant plus humiliante que j'avais choisi une voie de défi contraire à la prudence, aux traditions et aux mœurs.

J'entrepris une enquête fort malaisée, menée

par fragments, par questions séparées, dont les réponses assemblées devaient me fournir la solution. J'affectais une curiosité purement intellectuelle, battant en retraite au moindre soupçon. Ainsi, au lieu de m'ouvrir à un seul confident, j'ai dû, mauvais comédien et de cette manière naïve et torturée, me livrer à de très nombreuses personnes ; et je n'obtins rien.

On finit par me suggérer un conseiller : un avocat communiste que je connaissais d'ailleurs de réputation. Il offrait l'avantage, m'expliqua-t-on, d'une double compétence : en droit français, bien entendu, et en code rabbinique, auquel nous restions soumis. De plus, révolutionnaire, il devait combattre les deux juridictions et m'aiderait à les tourner si nécessaire.

Je n'attendis pas longtemps dans l'antichambre où, malgré l'heure propice, j'étais le seul client. J'en devinai la raison en pénétrant dans son bureau. Des journaux occupaient la plupart des sièges ; la politique active devait préoccuper l'avocat plus que la consultation juridique. L'homme qui m'accueillit le fit avec un sourire bienveillant, un peu distrait, qui m'épargna de chercher une attitude et un préambule de politesses. Miracle ethnique ou vieil accident historique comme il s'en rencontre de temps en temps dans ce pays, il avait les yeux bleus, le teint rouge et les cheveux ambre et soleil. Sans s'excuser de son désordre, avec lenteur et maladresse, le corps trop grand, les bras d'une mécanique un peu lourde, il se mit en devoir de débarrasser deux sièges. Les journaux furent ainsi redistribués moitié sur le bureau moitié par terre. Puis il s'assit près de moi, délaissant son fauteuil et m'offrit une cigarette :

— Je vous écoute.

Ce ne fut pas facile. Entreprenant de longues phrases filandreuses, avec des incidentes multiples où je ne me retrouvais plus, m'agaçant d'être si embrouillé malgré ma volonté d'être net, j'arrivai cependant à presque tout dire. Enfin je me tus et attendis. Mais rien dans son visage n'indiquait son opinion et c'est moi qui repris timidement :

— Que me conseillez-vous ?

Il haussa asymétriquement ses énormes épaules.

— Eh bien, vous êtes obligés de vous soumettre.

— C'est-à-dire ?

— Pour que votre fils soit légalement vôtre il n'y a que deux solutions : la circoncision ou le mariage religieux. Et puisque vous voulez un conseil : mettez-vous en règle ; tant pour votre femme que pour votre fils. Sans quoi, tôt ou tard, vous en subirez les conséquences.

— En bref, il n'y a rien à faire ?

— Non.

Bien sûr, je m'en doutais sans avoir accepté de l'envisager clairement. Cette porte fermée me parut, cependant, une insupportable brimade.

— En somme, grondai-je comme s'il en était responsable, je n'ai pas le droit de ne pas pratiquer ! Même si je ne suis pas croyant, même si...

— Non, répéta-t-il, légèrement ironique, cultivant sans le savoir mon irritation, non, la pièce est mal engagée, il faudrait tout bouleverser.

Je n'étais pas venu discuter politique et qu'il gagnât déjà les idées générales m'agaça comme une désinvolture à mon égard. J'essayai de le ramener au sujet.

— Vraiment il n'y aurait aucune jurisprudence, dans les cadres actuels... je ne sais pas, moi, je ne suis pas juriste ! Aucune issue à cette situation absurde ?

Il hésita.

— ... Juridiquement, non... c'est-à-dire il existait une possibilité : la naturalisation à une nationalité étrangère, française par exemple... en somme : le changement de juridiction ! Mais, se hâta-t-il d'ajouter, finissant tout à fait de sourire, ce n'est plus possible.

Cela aussi je le savais vaguement, il me le confirmait. Comme toujours, j'étais placé entre deux trahisons : traître à moi-même ou aux autres. Il précisa :

— Politiquement, nous y sommes tout à fait opposés.

Sa certitude, ce choix, quelle qu'en fût la valeur, me blessait ; était-il donc si facile de se décider entre deux compromissions ? J'avais envie de l'attaquer pour défendre ma faiblesse, pour lui découvrir la sienne.

— Si je comprends bien, dis-je sèchement, vous me conseillez plutôt le mariage religieux, la circoncision, que la naturalisation ; un acte mystique de préférence au laïque.

Il sourit avec bonhomie, étira ses longs bras sur les accoudoirs. Ma violence devait l'amuser comme celle d'un irresponsable. Indulgent il m'expliqua, répétant, je suppose, des évidences pour la centième fois :

— Comprenez-vous, la naturalisation a été possible, un moment. Tenez, je suis moi-même Français de nationalité, bien que... vous le savez, peut-être, ma vie, mon action... enfin ! c'est mon père qui l'a voulu... Aujourd'hui, une nation est née : un tel acte serait tout simplement une trahison envers elle... : vous n'avez pas le droit de faire cela.

Nous fumâmes en silence une deuxième cigarette. J'étais, de toute manière, battu. Je repris avec humilité :

— Enfin... donnez-moi un conseil pratique... à ma place : qu'auriez-vous fait ?

— Bah !... je ferais un mariage religieux... je l'ai d'ailleurs fait.

— Ainsi, chapeau sur la tête et le taleth pardessus, vous avez répété, mot à mot, après un prêtre — car vous ne devez pas, plus que moi, connaître ces textes par cœur — une série de formules inintelligibles, une prière à laquelle vous ne croyiez pas...

Je ne voulais plus l'attaquer. C'était ma propre image, aux côtés de Marie étonnée — peut-être ironique — que j'expérimentais, que j'essayais de supporter ; lorsque, tout à coup, j'entrevis une botte cruelle à pousser contre l'avocat ; je ne pus m'en empêcher, parce qu'en lui, c'était moi que je punissais.

— Mais pourquoi, dis-je méchamment, aviez-vous fait un mariage religieux ? Si vous étiez Français, vous n'en aviez pas besoin.

Il rougit violemment ; un instant je crus qu'il

avait perdu cette tranquillité que je lui enviais. S'il avait riposté à l'injuste querelle que je lui cherchais j'aurais supporté sa réaction sans me défendre. Mais sa voix, après un silence, resta maîtrisée, pudique :

— Oh, il y a longtemps de cela... j'étais à peine au Parti... c'était pour faire plaisir à mes parents...

Pour faire plaisir à mes parents. Que de fois ai-je entendu cette explication, pavillon de tous les reculs, de tous les abandons ! Aux parents, bien sûr, mais à nous-mêmes également, à tout ce qui, en nous, nous pousse à la défaite, à la soumission !

L'avocat se leva et, ne pouvant tout à fait digérer l'insulte, se mit à marcher pesamment.

— Vous faites trop d'histoires, excusez-moi de vous le dire, ces gens vous obligent à une comédie parce qu'ils ont pouvoir sur vous. Etes-vous libre de refuser ? non ! Eh bien, il n'est pas avilissant de les tromper !

Il obligea de nouveau sa voix à la bienveillance, à l'explication didactique :

— Vous savez, le Parti ne le déconseille pas absolument... tout cela est trop solide encore, nous ne pouvons pas heurter de front des institutions si tenaces.

Il retrouvait un thème familier et de nouveau m'oubliait !

— Ah ! On a bien respecté les institutions des pays coloniaux ! On les a si bien respectées qu'ils en sont momifiés ! C'est là une des meilleures trouvailles du colonialisme pour stopper l'évolution des peuples dépendants ! On les a si bien respectées que si nous nous avisions d'y toucher, on nous en empêcherait ! Mais cela aussi, nous en viendrons à bout ! Nous séparerons le religieux et le laïque, nous démasquerons cette confusion, nous imposerons...

Il parlait lentement, puissant et persuasif, à je ne sais quelle foule dont je faisais partie. S'est-il rappelé, plus tard, à quel moment de son discours, je me suis levé, lui ai serré la main et suis sorti comme sur la pointe des pieds pour ne pas l'interrompre, emportant discrètement avec moi mon trop individuel problème ?

XI

J'étais honteux et irrité de la réponse que j'apportais. La semaine de l'accouchement n'avait été qu'une halte ; nous n'avions savouré de paix si parfaite que pour avoir supprimé, par la pensée, tous osbtacles entre nous. La veille de la sortie de clinique j'avais surpris des larmes discrètes sur les joues de Marie. Il me fallait toujours insister pour qu'elle livrât la clef de ses émotions. Je l'aurais préférée plus expansive, plus faible, j'aurais pensé davantage à la protéger qu'à me défendre contre elle.

— C'est idiot, finit-elle par dire, j'ai peur de rentrer à la maison.

Je n'eus pas besoin d'analyser longuement sa réponse ; j'y reconnaissais ma propre appréhension : je me gardais mal, depuis quelque temps, de ce sentiment : je n'aimais pas à retrouver cette maison, que nous avions construite ensemble, abri de notre pauvre amour, symbole de nos malaises. Les larmes de Marie me rappelaient que nous quittions une oasis pour les difficultés sans cesse renaissantes de notre vie commune.

Je lui rendis compte de ma mission d'une voix

à peine ennuyée, qui aurait convenu à un contretemps purement juridique, épiant son ironie ou sa colère et prêt à la riposte. Etait-ce de ma faute si, de l'avis de tous, ma révolte se révélait dérisoire ? Pourquoi m'obligeait-elle à ces démarches ?

Mais elle ne fit aucune difficulté et nous décidâmes de nous remarier. Décidâmes est beaucoup dire ; nous nous y résignâmes, elle logique, moi écœuré des autres et de moi-même. Mieux valait en finir et oublier cette page peu glorieuse.

Fatigue ou dégoût, cependant, je laissai passer plusieurs semaines, espérant je ne sais quelle transformation dans le cours du temps, quel secours inattendu qui rendrait inutile cette entreprise dont je me blâmais. A tout hasard, j'écrivis à un de mes camarades d'adolescence qui avait gagné la Palestine ; dans cette société nouvelle au gouvernement socialiste, peut-être pourrait-on ne pas être croyant sans être exclu. Je n'eus pas de réponse à ma lettre. J'en vins à regretter le consentement trop rapide de Marie dont les refus servaient de prétextes à mon irrésolution. Mais l'admirable avec elle était qu'une fois sa décision prise, sa révolte passée, elle s'y tenait et semblait ne rien regretter. C'était un don qu'elle faisait, qui lui coûtait mais qu'elle ne pouvait reprendre. Moi, lui arrachant ce que je convoitais, me déchirais moi-même et restais pantelant et coupable ; et ne pouvant supporter qu'elle refusât, je lui en voulais de m'avoir cédé.

Je découvris enfin que j'avais assez bien connu au temps de mes enthousiasmes politiques, Maître Taïeb, l'actuel président de la Communauté.

Avec quelques camarades, je l'avais, naguère, aidé à rédiger une petite feuille libérale qui touchait une centaine de lecteurs. Nous soupçonnions bien que l'ambitieux avocat faisait coïncider les intérêts de la cause avec les siens propres, mais sa contribution nous était utile et je n'en conservais pas un mauvais souvenir. Pour mon affaire c'était une chance, jamais je n'aurais osé m'adresser à un conservateur convaincu.

Le cabinet de Maître Taïeb contrastait dès l'entrée avec celui de l'avocat communiste. Une dactylo, familière et importante à la fois, m'indiqua du menton une antichambre où patientait un public nombreux ; des clients, et des quémandeurs, je le supposai à la pauvreté de leurs vêtements et à leur humilité. Aux murs, de mornes peintures figuraient, sans exception, de vieux rabbins, barbus et le regard éteint ; une concession évidente du président Taïeb à ses nécessités électorales.

Une porte matelassée de cuir rouge s'ouvrit et j'eus quelque peine à reconnaître l'avocat dans un grossissement exagéré de lui-même. Son regard fit le tour de l'assistance et m'identifia au contraire sans hésitation. Il me fit un petit signe de tête, contrôlant son sourire. Par discrétion je ne bougeai pas, me réservant comme lui, pour l'intimité de son bureau. De la main il invita un des clients à le suivre et ils disparurent.

L'opération se renouvela plusieurs fois, mais ma complicité avec le maître des lieux m'avait rassuré et je m'essayai à trouver pourquoi les peintures de rabbins étaient si mauvaises. Enfin mon tour arriva.

Sitôt dans le bureau,, j'allai cordialement vers lui lorsque, torse redressé, posant du bras et de la main la distance de la majesté, il arrêta mon élan. Il m'en avertissait lui-même, il jouait son personnage avec une telle charge qu'on n'avait pas le droit de s'y tromper : il était considérable. Je fus plus surpris et amusé que déçu.

A vrai dire, il avait également tant changé au physique que ma spontanéité aurait eu besoin d'être réchauffée. Mal grossi, comme grossissent trop vite les hommes jeunes, d'une graisse mal répartie, dans le menton, les joues, les doigts, gonflés, forcés, comme un bonhomme de caoutchouc, où les endroits de moindre résistance se trouvent distendus et diaphanes. Un eczéma, qu'il avait réussi à ne pas montrer jusqu'ici, lui mangeait la gauche du front.

Il me fit signe d'occuper un fauteuil, puis posant ses lourdes mains sur sa table, il s'assit et attendit. Il était clair qu'il ne désirait aucun rappel de nos relations passées; cela m'arrangeait en partie; je n'étais pas fier de ma démarche au souvenir de nos positions de naguère; je sautai donc à ce qui m'occupait.

Il ne m'interrompit pas une seule fois, hochant la tête avec lenteur aux endroits où je sollicitais son approbation. Lorsque je me tus, il toussota, eut un sourire officiel vite repris dans un masque soucieux et entreprit un discours égal et périodique.

— Nous étions au courant de votre situation...

— Ah oui ?

— ... Nous sommes contents que vous cherchiez à la régulariser...

— Oh ! j'ai eu du mal à m'y décider !

— ... et nous allons essayer de vous aider, bien que ce ne soit pas très facile...

Je m'étonnai ; je pensais, avouai-je, qu'il s'agissait d'une formalité.

— Est-ce tellement compliqué ?

— Oui... les rabbins, m'expliqua-t-il brièvement, sont aujourd'hui plus... certains, plus assurés... avec raison d'ailleurs.

Je ne voyais pas pourquoi, aujourd'hui, les rabbins seraient plus assurés et de quoi. Je haussai les épaules. Je n'étais là ni pour un reportage ni pour une discussion théologique. Et après tout, en venant, je m'étais préparé à me soumettre à leur loi, si périmée, si illogique fût-elle.

— Enfin, dis-je, j'y ai assez réfléchi, il le faut, dites-moi ce qu'ils exigent.

— Bien, reprit-il patiemment avec le même front de majesté soucieuse, nous allons tout de même essayer. Vous suivrez *exactement* ce que je vais vous indiquer. D'abord, vous irez trouver le greffier du tribunal rabbinique... Attention ! insista-t-il, une espèce de fermeté traversant son onctuosité, attention ! je dis bien le greffier... vous lui demanderez des renseignements sur les lois de l'héritage, par exemple...

— L'héritage ?

Il sourit, un peu condescendant : je n'avais pas compris.

— Sur n'importe quoi : c'est un prétexte... Pendant la conversation, en passant, vous lui direz que vous connaissez une jeune fille non juive ; que, peut-être, vous l'épouseriez. Ce sera tout pour cette fois : ainsi il connaîtra votre existence. Puis vous reviendrez me voir.

— Et ensuite ?

— Revenez me voir ; je vous dirai la deuxième étape.

J'étais un peu agacé de tant de mystère et de l'importance qu'il donnait à l'affaire et à son rôle.

— Je m'excuse de vous rappeler, dis-je, que je suis déjà marié civilement et que j'ai un enfant.

— Je ne l'ai pas oublié... Peut-être, ajouta-t-il avec quelque solennel regret, auriez-vous dû commencer par la cérémonie religieuse...

Je faillis lui répéter que sans mes parents je ne l'aurais pas même envisagée, lorsque cette solennité, sincère ou jouée, commença à m'inquiéter. Je regrettai d'avoir parlé à cœur si ouvert.

— J'étais à Paris... vous comprenez, dis-je avec une bien tardive prudence... les études... l'éloignement...

De la main, il balaya ces fâcheux souvenirs.

— Pensons au présent. Au contraire, oubliez cette première... procédure : ne dites surtout pas au greffier que vous êtes marié civilement... et revenez me voir.

Il se leva pour me signifier la fin de l'entretien.

— Excusez-moi de vous importuner, insistai-je, je vous avoue que je ne comprends toujours pas pourquoi de telles précautions ?... Croyez-vous que je puisse risquer un refus ?

— Peut-être, dit-il sèchement, se dévoilant pour la première fois.

— Mais pourquoi ?

Il baissa les paupières, et s'appuyant sur ses grosses mains, se voulant inexorable, articula :

— La communauté ne peut, sans garanties, accepter dans son sein une étrangère.

Je restai estomaqué. J'avais enfin compris : il était de l'autre côté. Une étrangère ! A cet instant précis, de toute mon âme je me sentis du côté de Marie, oh oui ! le meilleur de moi-même, le plus libre, le plus universel ! Une peur rétrospective de ce que, sans elle, j'aurais pu devenir, m'envahit.

Pourtant, au lieu de lui exprimer mon dédain, je demeurai paralysé devant cette marionnette, empêtré dans une honte obscure, mais que je voyais, là devant moi, incarnée par lui, car n'hésitais-je pas, moi-même, à complètement accepter ma femme ? Il était ma caricature et ma punition ! Alors au lieu de refuser son aide avec hauteur, lorsque je pus parler, je m'entendis marchander :

— Vous savez, dis-je, ce n'est pas une mauvaise recrue pour nous...

Car, j'ai ajouté : « Pour nous » !

— ... c'est une universitaire.

Un de mes camarades peintre parisien, mais natif d'Oran, me raconta qu'un jour il reçut la visite d'un cousin de passage. Le visiteur, bourgeois cultivé, eut les larmes aux yeux en voyant le réchaud à pétrole, l'entassement de vaisselle ébréchée et le sommier de fer.

« — Il n'avait même pas regardé mes toiles ! Voilà pourquoi, concluait le peintre, je ne peux pas rentrer chez eux : devant des gens comme mon cousin, je n'ai plus envie de rire, mais de frapper. C'est eux ou c'est moi. »

Eh bien, moi, j'étais rentré.

Le Président souriait, enfin satisfait.

— Nous savons qui elle est, me rassura-t-il, nous avons nos renseignements ; et bien qu'aujourd'hui nous n'approuvions plus ce genre de mariage, nous ferons tout ce que nous pourrons.

Il m'accompagna, protecteur, jusqu'à la porte du bureau. Avec justice, je remarquai que son menton n'était pas tout à fait double. Sa duplication naissait de l'effort qu'il faisait pour repousser majestueusement sa tête en arrière ; peut-être l'eczéma le contraignait-il à ce geste. Au moment où il mit sa main droite sur la poignée de la porte, il leva l'autre main, index pointé au plafond comme un dieu en plâtre, et avec une solennité si comique que j'en oubliai mon écœurement dit :

— La communauté, mon cher, la communauté c'est notre mère !

XII

Je reçus enfin la réponse de mon camarade israélien. Je l'ouvris avec curiosité comme on retrouve un billet de loterie périmé. Mon correspondant écartait le mariage religieux mais préconisait la circoncision. Non comme rite mystique, bien sûr, mais comme « carte d'identité juive elle conserve un crédit intact ». La lutte contre le clergé, ajoutait-il, doit se poursuivre et l'avenir... etc.

Je déchirai la lettre avec amertume ; le billet de loterie était, de plus, perdant. Allons, ils se trouvaient tous d'accord, le révolutionnaire, le bien-pensant et le nationaliste : j'irai voir le grand rabbin. Je ne ruserai pas, j'irai le voir avec ma femme, je ne passerai pas par le greffier. Que désirent les prêtres ? Que, pour nous préserver de l'orgueil, nous ayons les reins brisés. Eh bien, notre orgueil était bas et notre soumission complète. Je lui exposerais ma situation exacte : marié, père d'un enfant, j'aimais Marie et aspirais à vivre parmi les miens ; ma femme, la voici, elle tenait à moi et se plierait à la discipline de nos rites. Ma sincérité serait ma seule garantie et mon unique dignité.

Le samedi où je pris cette décision, je rentrais en voiture lorsque je dépassai, montant la côte à pied, Maître Taïeb. J'arrêtai et l'invitai à s'asseoir près de moi. Mais, de ce geste onctueux dont j'avais pris connaissance, il refusa :

— Je vous remercie : ce n'est pas possible !

— Ah ?

Je démarrai, étonné. L'avais-je blessé ? L'entretien avait été correct jusqu'au bout. Peut-être préférait-il marcher ?... Son embonpoint ?... « Ce n'est pas possible ! »... Ah ! Parbleu ! C'était samedi ! Imitant les dévots les plus stricts, il n'utilisait pas de voiture ce jour-là.

Il avait peut-être raison ; il faut jouer un seul jeu et rigoureusement : le retour définitif à la tradition, cléricalisme compris, ou la rupture sans équivoque. Moi, j'épousais une « étrangère », je refusais de faire circoncire mon fils, mais j'hésitais à choquer les habitants du village... (Etait-il bien sûr, néanmoins, que Taïeb vivait en paix avec lui-même ?)

Lorsque nous arrivâmes dans la populeuse rue des Grils où se trouvait, m'avait-on dit, le rabbinat, je m'avisai, un peu tard, que ma décision d'y emmener Marie était saugrenue. J'ai toujours agi, dans cette histoire, par excès ou par défaut. Que pouvais-je gagner à la confrontation de deux univers si hétérogènes ?

L'immeuble où habitait le grand rabbin était de moyenne apparence ; et je me mis à espérer que, du moins, nous échapperions au sordide.

Nous tâtonnâmes un peu dans l'escalier obscur

et je finis par frapper à une porte au hasard. Un gosse malingre, ni peigné, ni mouché, nous découvrit une entrée encombrée comme une salle de ventes. Et au milieu, assise sur une peau de mouton, entourée de pots d'argile cuite, une femme préparait des pâtes. Je m'étais, pensai-je, trompé de porte. Pour m'excuser je lui expliquai ce que je cherchais. Mais non, je ne m'étais pas trompé, nous étions bien chez le grand rabbin, nous nous adressions à sa propre femme. Malheureusement, il ne recevait plus ici, il possédait maintenant un beau bureau, en ville, oui en pleine ville...

Elle me parlait, mais elle regardait Marie et l'examinait tranquillement de la tête aux pieds, pendant que ses mains travaillaient, la gauche effilant un gros morceau de pâte, la droite coupant à mesure de longues gouttes qui tombaient dans un plat de terre.

En sortant, Marie me fit évidemment part de son étonnement.

— Sa femme ? La propre femme du grand rabbin ? Comme c'est curieux !

Je ne pus m'empêcher de regretter pour la circonstance le faste païen et la comédie des prêtres catholiques. Je lui rappelai, rapidement, qu'ici les femmes n'égalaient pas les hommes, que cela ne prouvait rien quant à la culture et la science du grand rabbin.

— Cette peau de bête sur le sol, insista-t-elle, cette chaux sur les murs et cette lumière... une impression bizarre... de lointain, d'un autre monde...

Au fond de moi, je l'approuvais, mais jamais je

ne l'aurais avoué. Lorsqu'il m'arrivait de dévoiler de mon propre chef nos manques et nos retards, je le faisais avec une dureté si rageuse qu'elle se taisait avec prudence.

Certes, il aurait été plus habile et plus généreux de lui dire simplement mes propres étonnements, de partager avec elle ma colère ou ma souffrance : il aurait fallu ne pas avoir honte de son regard, ne pas la traiter en ennemie !

Au bureau du grand rabbin, nous fûmes accueillis par une espèce de janissaire, un grand diable osseux, l'œil recouvert d'une rondelle de cuir retenue par une cordelette noire. Il portait un uniforme inédit et, sans doute, en modèle unique : un pantalon militaire italien, une veste maure brodée d'argent et une chéchia à gland. Enfin il devait être muet, puisqu'à toutes mes questions il répondait en remuant la tête et les mains. Je me résignai, finalement, à suivre sa main tendue.

D'un coup nous débouchâmes à deux mètres d'un vieillard assis derrière une table nue. Les yeux mi-clos, la barbe abondante, l'attitude hiératique, il ne manquait pas de majesté. Il ne bougea pas plus que si nous faisions partie du mobilier. Je me souvins que les croyants lui baisaient la main ; mais je me sentais si loin de cette fidélité, si étranger à cet homme d'un autre âge, qu'il m'aurait été impossible de le faire, surtout devant ma femme. Comme il continuait à ne rien dire, je fis signe à Marie de s'asseoir et m'assis également. Tels devaient être les usages.

Spontanément, je choisis de parler en patois. D'abord anxieux, je prenais confiance au fur et à mesure que j'exposais, avec chaleur et loyauté, notre affaire. C'est une des illusions que je conservai le plus longtemps : croire que je pourrais convaincre un homme, quelle que fût sa méfiance, en m'ouvrant complètement à lui, en me livrant sans défense. Lorsque je terminai, le prêtre dit doucement avec bienveillance mais précision :

— Non. Nous ne pouvons pas.

Marie, qui ne comprenait mot, attendait avec inquiétude ; je traduisis le refus sans manifester d'émotion.

Un silence, puis :

— Vous ne pouvez pas ? Mais... pourquoi ?

Avec la même douce fermeté, comme si je n'avais pas entendu, il se borna à répéter :

— Non. Nous ne pouvons pas.

— Au moins, donnez-moi une raison !

— Les familles se sont plaintes.

— Que dit-il ? demanda Marie.

Je l'exclus du geste.

— Je t'expliquerai tout à l'heure — les familles ?... et si je vous apportais l'accord de ma famille... est-ce que vous consentiriez ?

— Plus tard elles changeront d'avis, nous le savons.

— Plus tard ?... Vous voulez parler des questions d'héritage ?

Il eut une esquisse de sourire, qui devait suffire à dire oui ou non selon la circonstance.

— Que dit-il ? redemanda Marie.

— Il veut éviter les querelles d'intérêt.

— J'en étais sûre ! Je savais bien que ce serait quelque chose de ce genre !

Sa phrase m'irrita.

— Ne compliquons pas la situation, je t'en prie. Domine-toi !

— Et de telles questions, repris-je, doivent empoisonner la vie d'un couple ?

Il ne répondit pas, n'eut pas un geste, pas un tressaillement de sa barbe sur la courte veste de toile blanche. J'admirai presque cette négligence à défendre ses positions.

— Admettons-le. Mais ma femme est plus riche que moi, je n'avais rien en me mariant et ma famille ne m'a rien donné...

— Là n'est pas la question... Et d'ailleurs, de plus, nous avons décidé de ne plus accepter d'étrangères.

Nous touchions là un autre pôle de la discussion, la frontière de nos univers respectifs ; pour eux, je l'avais enfin compris, Marie était d'abord une étrangère.

— Voyons, discutai-je patiemment, ces étrangères, une fois converties et soumises au mariage religieux ne sont plus des étrangères. Si cette femme, que mes parents, ont reçue, hébergée, accepte nos lois, nos coutumes...

Je faillis ajouter : notre religion, le mot ne sortit pas, par loyauté pour lui et pour Marie. Les petits yeux du rabbin, encombrés de multiples paupières comme celles des oiseaux, battirent :

— Qui peut lire au fond des cœurs, mon enfant ?

Je n'avais pas l'habitude des expressions ecclésiastiques.

— Comment ? Ah, oui !... personne, certes... mais pourquoi y supposer le pire ?

Il mettait en doute, je suppose, la sincérité de l'adhésion de Marie. Je préférai ne pas le suivre sur ce terrain. Aurais-je pu l'en assurer ? Et d'ailleurs je ne voyais pas pourquoi il aurait le droit, au nom de la foi que je n'avais pas, d'empêcher la femme que j'aimais d'être mon épouse et mon enfant d'être mon fils. Je me rabattis sur des arguments qu'il pourrait entendre :

— Quels ténébreux calculs soupçonnez-vous ? Pensez-vous qu'elle m'ait épousé dans l'espoir d'un profit quelconque ? Ses parents sont bien plus aisés que les miens ! Quels autres avantages pouvait-elle trouver en moi ? de faire partie de notre groupe ? ou de vivre en exil ?

Il ne répondait pas, son impassibilité, son indifférence touchait à la cruauté ou à l'entêtement rêveur des enfants ; j'avais envie de le secouer par les épaules pour le réveiller. Ecoutait-il seulement ce que je lui disais ? Et s'agissait-il bien de cela ? Pour lui, comme pour nous, la question des avantages matériels n'était probablement que secondaire : Marie n'était pas des nôtres , tout le reste en découlait.

— Vous n'espérez pas, grondai-je, que je me sépare d'elle ? Nous avons un enfant !... d'ailleurs, ce mariage, je trouverais bien, en Europe, un rabbin qui accepterait de le célébrer !

— Faites-le, mon fils, si vous le pouvez.

Il avait parlé sans animosité, sans paraître voir mon défi. Si un autre acceptait de commettre ce blasphème...

Je me levai, suivi par Marie.

— Adieu, dis-je.

— Au revoir, mon enfant.

Pas une fois, il n'avait dit « mes enfants » ; je ne crois pas qu'il ait seulement regardé Marie. Dans le couloir, elle toisa le janissaire borgne avec mépris et déjà laissa éclater sa fureur.

— C'est ça le grand rabbin ! Mais il est crasseux ce bonhomme-là !

Je découvris en elle un sentiment nouveau : elle était humiliée. Elle avait fait un tel effort pour se soumettre, pour accepter une autorité qui n'existait pas pour elle, et cette autorité qu'elle méprisait la repoussait avec dédain. Mais j'étais aussi ulcéré qu'elle ; moi aussi j'avais cru qu'il me suffisait d'accepter ce retour dans le passé. Pour lutter contre ma propre humiliation, maladroitement je me mis à défendre le rabbin, à essayer de lui donner quelque importance :

— C'est tout de même une belle tête de vieillard, cette barbe blanche et cette attitude...

Je ne réussis qu'à l'exaspérer comme une guêpe.

— Ah, oui ! une belle tête de gâteux ! sur une veste huileuse !

J'aurais tellement souhaité qu'elle se tût, maintenant, qu'elle comprît l'impossibilité où nous nous trouvions. Mais peut-être, disait-elle n'importe quoi parce qu'elle ne savait comment exprimer son désespoir.

Elle continuait sur ce futile élan, la malpropreté du grand rabbin, la niaiserie de sa femme, la morve du gamin, l'accoutrement grotesque du janissaire...

Alors j'entrai dans une fureur désordonnée et je me mis à crier. J'aurais voulu lui dire qu'il s'agissait bien de ces détails ! que nous avions échoué ! Que ce mariage nécessaire et en même temps impossible symbolisait notre vie commune, la vie de chacun de nous ! Que j'avais eu beau rompre avec ma famille, elle avec la sienne, nous n'avions pas réussi à bâtir notre couple !

Mais cela je n'osais pas encore l'exprimer à haute voix, ni même me l'avouer. Alors, je délirai. Ah ! les miens étaient sales et anachroniques ! Comme les Grecs et comme les Italiens, elle me l'avait assez répété, et des Italiens je passai à la Méditerranée et de la Méditerranée à l'Univers qui, à mes yeux étonnés, se révélait coupé en deux : en haut du globe, les gens du Nord, propres et ordonnés, policés et maîtres d'eux-mêmes, détenteurs de la puissance politique et de la technique, en bas les gens du Sud, bruyants et vulgaires, la misère italienne, la sauvagerie espagnole, la barbarie africaine, le maniérisme sud-américain... c'était bien cela, n'est-ce pas ? Eh bien, j'acceptais cette division, je l'entérinais, mieux je faisais mon choix de ces défauts et de ces hommes ; j'étais responsable des Juifs et des Arabes, des Nègres et des Chinois...

Et tandis qu'effrayée, elle essayait trop tard d'arrêter cet esclandre en pleine rue, j'avançais, j'avançais, explicitant, lui imposant cette absurde cosmogonie qui nous empoisonnait.

Et puisque, là-dessus, tout le monde était d'accord, et qu'elle-même en semblait convaincue, parlant ainsi, je me persuadais enfin que le Nord c'était elle et le Sud c'était moi.

XIII

Je me suis souvent demandé si, tout plein de tourments divers, je n'aurais pas entraîné n'importe quelle femme dans mes tempêtes ; si Marie, au contraire, avec un autre homme, ne serait pas restée pure et claire comme une eau de source ; si je ne me suis pas obstiné à la troubler, alors qu'elle aspirait sans cesse à retrouver sa transparence. Pourtant, ce n'est pas de ma faute si chaque événement, chaque détail de notre vie, se chargeait immédiatement d'un sens plein de menaces, de la signification de notre drame tout entier.

Nous prenions ce petit déjeuner fort copieux, que Marie nous avait fait adopter, lorsque la bonne nous fit part de son inquiétude :

— ... Le petit machin de bébé est très enflé, Madame..., c'est très rouge.

— Je sais, lui répondit sèchement Marie ; laissez-nous.

Je m'étonnai de la tranquillité de ma femme et de ce qu'elle ne m'eût rien dit.

— Ce n'est rien, affirma-t-elle évasivement... le

prépuce serre un peu... le petit pénis glisse mal, ce n'est rien.

— Mais comment sais-tu que ce n'est rien !... il y a longtemps qu'il en est ainsi ?

— Non... un mois, à peu près... je lui donnais son bain...

— Un mois ! Tu aurais pu tout de même me le montrer !

Elle hésita.

— Je l'ai montré au docteur Cartoso... puisqu'il est pédiatre.

J'étais encore plus inquiet qu'étonné.

— Toute seule ! Ah ! Et qu'a-t-il dit ?

— Que ce n'est rien, justement... à chaque bain il suffit de faire glisser la peau deux ou trois fois. Cela passera très vite.

— Eh bien ! si c'est rouge et enflé c'est que justement, ce n'est pas passé !

Elle ne répondit pas. Nous savions quels tumultes brusquement s'éveillaient chez l'un et chez l'autre. Elle avait pris cet air fermé qui m'étouffait, et jusqu'à la fin du repas, je ne pus rien trouver à dire qui ne me parût vain.

L'opération serait peut-être nécessaire. Que cette opération s'appelât circoncision, seul le hasard en était responsable. Ma liberté intérieure, mes comptes avec les préjugés restaient intacts ; les démarches méfiantes de ma femme, puis sa colère silencieuse me semblaient injustes et injustifiées.

Mais pourquoi, en moi, cet espoir absurde, cette joie honteuse ?

*

L'enfant n'avait rien résolu. Au contraire, notre déchirement enfin admis, il incarna notre drame ; il en devint le symbole et l'enjeu.

Comme beaucoup de femmes, Marie reporta sur son fils les espoirs qu'elle avait fondés en son époux ; l'univers qu'elle n'avait pas réussi à construire avec moi, elle voulut l'édifier avec Emmanuel. Et renonçant au constant effort de vivre en fonction de moi et de mon milieu, puisque tout s'y opposait, elle se trouva du coup libérée. A mon étonnement, elle se mit à exister pour son propre compte ; elle me découvrit une spontanéité que je ne lui avait guère connue. Et je m'en serais peut-être réjoui, si cette liberté n'avait été due à l'oubli, désormais, de toute précaution à mon égard, si je n'avais craint qu'elle n'entraînât mon fils dans cette indifférence.

Ainsi pour l'endormir, elle se remit à lui chanter de vieilles berceuses en allemand. Au début de notre mariage, dans ce premier élan qui me portait à l'adopter tout entière, je crus m'intéresser à la civilisation dont elle participait ; j'essayai même d'apprendre l'allemand. Mais nos difficultés ayant très tôt commencé, d'un accord tacite, nous tentâmes d'oublier nos différences. J'abandonnai cette étude à la vingtième page du manuel et, prétextant ses soucis ménagers, elle ne trouva plus le temps de me donner la leçon hebdomadaire.

En l'entendant de nouveau moduler à mon fils ces rythmes si étrangers à moi, il me venait une révolte que je ne pouvais plus masquer. Je lui demandai de le bercer en français.

— Ce sont des chansons de mon enfance, protestait-elle, j'ai moi-même été bercée ainsi !

Cet aveu, loin de l'excuser à mes yeux, me consternait, comme si le fond de sa nature se confirmait irréductible.

Alors me submergeait la vieille peur d'être exclu ; j'imaginais le dialogue, en cette langue opaque, entre la mère et le fils et me voyais en tiers, isolé.

Sans le vouloir, elle cultivait mes soupçons. Penchée sur son berceau, avec une complaisance qui me faisait aussitôt dresser l'oreille, elle le détaillait.

— Il avait une carnation de brun, ses yeux étaient d'un brun ferme. — Te souviens-tu ? — Eh bien, il devient blond, même ses yeux s'éclaircissent. C'est étonnant !

Quelquefois s'avisant de mon déplaisir elle jetait du lest.

— Oh ! il a beaucoup de toi ! Il n'a plus la couleur de tes yeux, mais il en garde la forme ! D'ailleurs il a peu de pommettes, comme toute ta famille...

Je n'aimais pas, de toute manière, ce rappel de nos particularités ethniques.

— Quelle idée de classer les individus suivant leur carnation, la couleur de leurs poils, la forme de leurs crânes ! Nous ne sommes pas des animaux ;

— Quelle classification ?... De quoi me soupçonnes-tu encore ?

Je battais en retraite ; l'accusation aurait été insensée.

Je me surpris à surveiller également le berceau ; je voyais avec trouble qu'Emmanuel lui ressemblait de plus en plus. N'aurais-je pas voulu l'admettre que le témoignage public m'y aurait contraint :

— Mais il devient blond ! s'exclamait-on, un vrai Viking !

Et je devais sourire et les remercier car c'était chez eux un compliment.

— Il ressemble de plus en plus à sa mère !

Il m'arrivait, me maudissant de ma sottise, de vérifier ma figure dans le miroir, puis de l'examiner avec inquiétude.

Je me demandais ce qui, plus tard, nous serait commun. Déjà, nous n'avions ni le même physique, ni la même histoire. Lorsqu'il pourra choisir, pourquoi pencherait-il pour une nationalité mineure, une religion vaincue et des mœurs attardées ? Peut-être ne se souviendra-t-il que de sa mère et cherchera-t-il à m'oublier comme une tare familiale !

J'ai peine, aujourd'hui, à retrouver ce que je sentais, à m'expliquer comment j'ai pu me conduire ainsi. Je regrettais, j'ai dû me l'avouer, de ne pas avoir fait circoncire Emmanuel. Cela aussi, plus tard, me séparerait de mon fils ! Il était encore temps, cependant. J'imaginais, je ne pouvais m'en empêcher, que ce serait une victoire définitive, qui l'enchaînerait à moi. Au même moment, honteux de cet espoir chimérique, je puisai dans le souvenir de mon premier refus, un nouveau courage. J'avais quand même été capable d'une conduite plus ferme ! Et cela suffisait à obtenir de moi plus de dignité.

Voilà que, sans défaillance nouvelle, cette circoncision devenait médicalement nécessaire ! N'avais-je pas le droit de me juger innocent ?

Mais non ! le sens de nos actes ne nous appartient pas ! Marie ne voulut pas croire à mon innocence. Et y croyais-je moi-même ? J'avais beau le refuser avec dégoût, ce sentiment de bonheur ambigu était là, subtil, honteux, mais certain ; des cloches carillonnaient en moi, que je ne pouvais pas ne pas écouter. Que ma vie aurait été plus aisée si j'avais été un lâche tout simple, s'il n'y avait eu en moi, à côté de cette faiblesse, le refus de pactiser avec elle !

J'aurais pu essayer de persuader Marie ; je manquais de cynisme pour le faire. Pourtant les arguments étaient là, dans la bouche de mes concitoyens, Juifs ou Musulmans, je n'aurais eu qu'à choisir.

— La circoncision ? mais c'est une hygiène ! affirmaient les pseudo-réalistes... il paraît que même les Américains... Tenez, la famille royale d'Angleterre, on ne peut pas la soupçonner de... (de quoi, au juste ? ils ne le précisaient jamais...). Eh bien, elle fait circoncire tous ses garçons !

Les philosophes hésitaient, comme après une sérieuse méditation, puis :

— Savez-vous ce que je pense ? Au contraire, il faudrait circoncire tous les mâles sans exception !

Les esprits forts balayaient tout, jusqu'aux fondements de nos sociétés.

— ... Et de plus : exciser toutes les filles ! Vous m'entendez : ex-ci-ser toutes les filles !

Les solidaires :

— De toute manière, ce n'est pas le moment de se retrancher de notre peuple...

Non ! mille fois non ! Notre complicité commune sait bien que les vrais motifs en sont la lassitude, la soumission ou la peur. Et si même les autres se trouvaient dupes de leurs prétextes, si même la terre entière s'y était mise enfin, comment pourrais-je oublier pourquoi nous le faisions ?

Je demandai à Marie d'emmener à nouveau notre fils chez le Dr Cartoso. Elle refusa. Je lui annonçai que je l'emmènerais moi-même. Elle haussa les épaules.

— Cela ne me regarde plus.

Mon collègue conclut, malheureusement, comme je le prévoyais.

— Oui, il faut intervenir... ce n'est pas très urgent, mais il vaut mieux profiter de son jeune âge...

J'essayai de garder mon naturel en rapportant le verdict à Marie. Elle cousait ; à peine releva-t-elle la tête, comme si je lui parlais de la pluie et du beau temps. Timidement je me plaignis qu'elle me laissât seul dans cette entreprise. Un court instant, elle me livra son regard.

— Exiges-tu, de plus, que je t'encourage ? C'est déjà bien que je te laisse faire ce que tu veux.

— Ce que je veux ? Mais... je n'ai rien voulu... je n'ai rien fait que...

Elle me fixa avec une telle ironie, qu'étouffé je me tus.

XIV

Elle cessa d'exister à la maison. Et son absence m'isolait plus sûrement que la plus affreuse des batailles. J'essayais de l'amener au moins à raisonner. Puisque nous y étions obligés médicalement, ne valait-il pas mieux qu'il fût opéré au plus tôt ? Plus nous attendions, plus Emmanuel risquait d'en souffrir... n'est-ce pas ? Pourquoi gonfler de nos problèmes un accident biologique ? Elle ne répondait que sur ma prière, brièvement :

— Tu es son père ; tu ne peux lui vouloir de mal. Fais ce qui te paraît le mieux.

Je m'arrêtais devant ce mur et le repas se terminait dans le silence. Nous en prenions lentement l'habitude ; il m'arrivait de rêver si longtemps, de me trouver si loin d'elle que, soudain effrayé, je quittais ma chaise et me précipitais vers elle, lui étreignais les épaules. Ses yeux se remplissaient de larmes, elle me saisissait la main et je savais que ma tendresse avait traversé ce brouillard qui nous aveuglait. Le plus souvent devant l'insistance de mon regard, elle me souriait avec politesse. Et je sentais dans cette amabilité un désespoir si parfait, si nu, que j'en étais encore plus défait.

J'aurais, je crois, abandonné, sans plus réfléchir à l'avenir, même au détriment de l'enfant, pour retrouver un repos momentané, une halte hors de cette tempête figée, si le sort n'avait choisi de me forcer la main. Cartoso, rencontré par hasard à l'hôpital, me dit qu'il allait s'installer en France. Je l'annonçai à Marie avec quelque apparente fermeté. Il fallait se hâter si nous ne voulions pas changer de pédiatre. A peine se troubla-t-elle.

— Tu es libre.

— De quelle liberté !... Je ne me réjouis tout de même pas que mon fils soit malade !

Elle eut encore ce pauvre sourire où la détresse et toujours l'ironie se mêlaient ; et je ne pus trouver la colère qui m'aurait soulagé ; la conscience de mon impureté me ligotait.

— Cela t'arrange bien, dit-elle.

— Oui ! Oui ! Oui ! Cela m'arrange ! Et après ? L'ai-je recherché ? L'ai-je décidé contre toi ?

Elle ne répondit pas, puis lasse, songeuse, à mi-voix :

— Tout cela n'a plus d'importance : je ne tiens plus à cet enfant... l'autre soir, j'ai rêvé qu'il était mort... (Elle hésita) : je te l'abandonne... comme, peut-être, je t'ai abandonné...

Il y avait longtemps que toute comédie avait cessé entre nous, et chacune de ses phrases, je le savais, pesait exactement son poids. J'en eus froid au cœur et je restai stupide, sans même pouvoir protester. Mais si j'avais dit vrai — je n'aurais jamais rien décidé contre elle — je me sentais presque aussi coupable qu'elle m'en accusait.

Et le lendemain, je pris rendez-vous avec Cartoso, comme si elle n'avait rien dit, comme si m'entraînait, étourdi et brisé, un mécanisme aveugle. Le pédiatre me demanda d'avertir la clinique. Au téléphone je bafouillai, l'opération, pourtant, était assez courante et possédait un nom scientifique.

— C'est pour un phimosis, dis-je.

— Heu... hésita le téléphone... une circoncision ?

Je me sentis stupidement rougir devant l'écouteur et faillis protester.

— Oui, admis-je, si vous voulez.

Personne n'admettait donc que ce fût un simple accident. N'ai-je pas dû moi-même repousser avec rage la tentation d'annoncer l'événement à mes parents ? Quel visage de triomphe et de fête auraient-ils pris alors !

La veille au soir, j'appelai encore Cartoso : voudrait-il revoir l'enfant ? Non, c'était inutile. Bien sûr, il ne fallait pas qu'il soit malade, même pas enrhumé, à cause de l'anesthésie ; mais je pouvais m'en assurer moi-même. Dès que je raccrochai et pus me départir du calme qui convenait à une si banale histoire, je me précipitai vers le petit lit où dormait Emmanuel, ses petites lèvres rouges entrouvertes.

Sa respiration était-elle exactement ce qu'elle devrait être ? On aurait dit qu'elle accrochait un peu, qu'il respirait par la bouche. J'appelai Marie. Timidement, je lui demandai si elle ne trouvait pas, par hasard, qu'il était un peu enrhumé. Elle me répondit sans se déranger :

— Non, il est très bien.

Pourtant, en écoutant bien...

— Ne crois-tu pas, criai-je à l'adresse de la salle de bains, que...

— Non, coupa-t-elle, je ne crois pas.

Je sentis l'irritation me gagner.

— Viens voir au moins !

Elle vint de mauvaise grâce, le regarda à peine.

— Tu es trop inquiet. Il respire toujours ainsi.

Et elle repartit, me laissant à mon angoisse. A aucun moment de cet épisode, cependant, je n'ai pu lui en vouloir. Je ne savais même pas au juste ce que je souhaitais d'elle : que par la fureur ou le désespoir elle luttât vraiment contre moi, ou — plus grande incohérence — qu'elle m'aidât contre elle-même !

Le lendemain matin, je me levai plus tôt que d'habitude, comme pour un examen ou une prière solennelle; le même lever à l'aube que celui d'Abraham menant son fils au sacrifice divin. Je quittai le lit discrètement et tâchai de me préparer sans bruit lorsque Marie s'éveilla. Nous n'échangeâmes pas un seul mot. Je m'habillai puis j'allai chercher Emmanuel.

Toujours heureux et frais le matin il poussait de petits cris et jouait à ne pas se laisser faire. Il n'opposait pas grande résistance mais assez pour m'embrouiller dans ses petits vêtements. Je sus gré à Marie qu'elle me le prît des mains; elle savait accorder son habileté aux refus de l'enfant.

Je l'épiais, j'espérais encore. Ah ! si elle voulait enfin dire non, éclater en sanglots, faire une crise de nerfs ! A la dernière seconde, j'aurais téléphoné à la clinique, à Cartoso, pour m'excuser platement — mais avec quelle joie, j'aurais incliné ma volonté devant la sienne ! Ma volonté ! Jamais, comme en cet instant, je n'avais senti combien peu il s'agissait de moi !

— Ecoute, suppliai-je la gorge sèche, tu peux encore t'y opposer. Il existe un prétexte vraisemblable : nous pourrons dire qu'il est enrhumé. Après nous aviserons.

Elle me regarda durement :

— Je crois qu'il vaut mieux que ce soit fait. Tu te sentiras mieux... peut-être.

Alors au lieu de lui dire où j'en étais, d'appeler à l'aide, je me rabattis sur le pauvre et seul argument que je ne cessais d'agiter :

— Encore une fois, ne l'oublie pas : nous le faisons seulement parce que nous ne pouvons agir autrement, parce que la santé d'Emmanuel l'exige.

Elle s'était déjà refermée et n'écoutait plus.

Je pris la main de notre enfant et me dirigeai vers la porte. Lorsqu'il comprit que nous allions sortir, il devint enthousiaste. Il réclama son chapeau, son ours et son chat de peluche, courut les chercher lui-même sur ses petites jambes instables et répétait me regardant avec affection :

— Promenade ? Promenade ?

Avant de démarrer, je tournai la tête pour rencontrer encore le regard de Marie : elle était déjà rentrée. L'enfant se mit debout contre la vitre, le chapeau sur la tête et le chat dans ses bras ; l'ours, il l'avait jeté derrière en réserve de tendresse. Et l'air du matin l'excitant, il se mit à babiller. Ainsi, partit Abraham avec son fils innocent. Et le fils demandait : « Sommes-nous arrivés, père ? » Mais le père ne pouvait s'arrêter que sur un signe de Dieu et, dans notre histoire, Dieu n'enverra pas d'ange pour empêcher le sacrifice.

Nous arrivâmes sans encombre à la clinique où l'on nous attendait. Emmanuel se laissa déshabiller de bonne grâce, exigeant seulement d'avoir son chat dans les bras, qu'il repassait d'une main à l'autre. Il s'inquiéta un peu lorsqu'on voulut le séparer de moi ; de son petit poing fermé il s'accrocha à mon veston. Je le lui enlevai, m'obligeant à sourire, complice de l'infirmière.

— Va, le rassurai-je, la dame est très gentille.

— Vous assistez à l'opération, Docteur ? me demanda-t-elle.

— Non, non, dis-je trop précipitamment, je n'y tiens pas.

J'aurais dû y aller, pour que la pièce fût parfaite, assister à la souffrance que je lui infligeais ; mais je manquais de force.

Il se laissa emporter, me regardant par-dessus l'épaule de l'infirmière, confiant.

Une minute après je l'entendis hurler de colère. Ce n'était pas encore de la douleur, je connaissais ses différents cris ; il protestait d'être manipulé sans douceur par des mains étrangères. Hors de ma présence, les infirmières ne devaient plus y mettre tant de précautions. Puis sa voix baissa et se noya dans un gargouillis d'où émergeaient de temps en temps quelques petits cris ; l'anesthésique devait agir. Puis le silence. Et commença une longue attente qui paraît-il fut très courte. Derrière la porte ripolinée j'entendis les chocs des outils d'acier reposés sur le verre et simultanément le bavardage fort gai, baroque, des assistants et du chirurgien. Mais leurs paroles n'avaient aucun sens, seul existait, m'envoûtait ce silence qui émanait du petit corps immobile.

Sans que je m'y attende la porte s'ouvrit. Croyais-je donc que cela ne devait jamais finir ? Une infirmière sortit, le portant dans ses bras. Une civière aurait fait trop sérieux. Agneau mort, sa tête pendait et ses bras et ses jambes, molles, chétives. Elle le posa sur le lit, supprima l'oreiller.

— Vous restez ici, Docteur ?

— Oui, dis-je, craignant je ne sais pourquoi qu'on me mette à la porte, il vaut mieux que je reste.

Elle sourit.

— Oh, cela m'arrange... je vous laisse.

Il se réveilla très vite et commença à s'agiter avant de pleurer, avec des sanglots morcelés et sifflants, d'une voix brisée, insupportable d'enfant qui souffre. Il ouvrit difficilement les yeux et me vit ; aussitôt il me tendit les bras, éperdu, m'appelant à son secours du fond de sa détresse.

— Papa ! Papa !

Je le pris sur mes genoux où il se blottit contre noi, étouffant sur ma poitrine sa peine injuste.

Alors enfin, appréhendant qu'une infirmière ne poussât la porte, je me mis à pleurer.

XV

Nous entrâmes dans une période de calme sournois, pire que les tempêtes qui, de plus en plus fréquemment, le rompaient. Nous crûmes possible, un moment, d'organiser notre vie chacun de notre côté, et cependant sur le même modèle. Elle s'inventa des milliers de petites tâches qui la menaient sans répit du matin jusqu'à la nuit ; j'allais tous les jours au dispensaire et je passais à l'hôpital mes rares instants de liberté.

Lorsque harassé je rentrais le soir, je la retrouvais comme je l'avais quittée. Sans la regarder, je tournais dans la pièce, lui racontant à tout hasard les cancans du dispensaire. Feignant d'ignorer qu'elle était dans les ténèbres j'espérais l'encourager à en sortir.

Elle n'ouvrait pas la bouche. Elle n'avait jamais beaucoup parlé, mais je savais peser ses différents silences et celui-là, que je sentais autour de moi, m'oppressait. Je continuais ainsi, pauvrement désinvolte, jusqu'à ce que soudain elle éclatât en sanglots.

J'aurais dû essayer de la rassurer, de lui faire

de nouvelles promesses. Je n'en avais plus la force et elle n'en aurait pas été dupe. A peine étions-nous encore amants. Curieusement, nous ne retrouvions quelque ardeur que durant les semaines d'orage. Les difficultés, les impossibilités recommençaient, au contraire, aussitôt que nous semblions revenir à la sagesse ; comme s'il fallait toujours, sous des figures diverses, expier le même péché. Parfois, dans un reflux de notre tendresse dévastée, prenant ma tête entre ses mains, presque sans douceur, elle me demandait :

— M'aimes-tu ?

Il me semblait resurgir péniblement du fond des eaux et la revoir en une lueur humide, presque neuve. Mais son sourire, l'ironie qu'elle y mettait, malgré son attente désespérée, empêchait l'élan que j'allais avoir. Je protestais puis replongeais. Je ne pouvais supporter le regard qu'elle avait dans ces moments-là. Elle s'adressait, d'ailleurs, plus à elle-même qu'à moi.

Le plus étonnant, peut-être, était la futilité des prétextes à nous déchirer. Nous n'avions plus — ô ironie — de problèmes à débattre ; simplement l'écluse pleine, le torrent se déchaînait.

Une fin d'après-midi elle passait en revue les magasins avant de regagner la colline. Elle descendait rarement, préférant définitivement le silence et la solitude de là-haut, et je la suivais patiemment. Dans une des vitrines violemment éclairées se trouvait exposé un service à thé en porcelaine décorée de fleurs d'or assez volumineuses. Un avis le présentait comme une copie du modèle « offert par le gouvernement à Sa

Majesté la Reine d'Angleterre ». Marie regarde, lit et s'étonne :

— Quel goût curieux ! Tiens, ça, c'est spécifiquement d'ici !

Je savais ce qu'exprimait cet étonnement. Dans les remarques les plus anodines désormais elle mettait son parfait refus.

Certes, écorché, douloureux à chaque parcelle de mon corps, je ne pouvais plus rien souffrir ; et de peur de cette souffrance je l'épiais, la provoquais. C'est que l'homme d'une même douleur lentement se défigure et je devenais monstrueux. Mais elle, ayant compris qu'elle était définitivement refusée, que tout ce qu'elle dirait serait à son passif, avait abandonné tout effort pour masquer ses répulsions.

— Mais quel rapport y a-t-il, dis-je déjà blessé, entre ce mauvais goût et les gens d'ici ?

Elle insista :

— Le gouvernement est composé de Tunisiens, que je sache ?

Je compris enfin son erreur :

— Il s'agit du gouvernement français, ma chère, celui de la République ; il n'est pas composé, que je sache, de Tunisiens.

Nous aurions pu nous arrêter là ; mais l'écluse se trouvait pleine. Je ricanais, je triomphais d'une joie amère ; je la prenais en flagrant délit de malveillance, tout lui était prétexte à soupçon, au plaisir d'attaquer. Traquée par une malignité sans merci elle riposta par la mauvaise foi :

— C'est égal, il y a eu sûrement une foule de cadeaux : il est significatif que vos marchands n'en aient retenu que celui-ci.

J'hésitais alors entre la colère et la bouderie. J'hésitais ? J'étais pris d'une agitation étonnante pour moi-même, qu'il me fallait décharger en éclats désordonnés, ou je me trouvais englué dans une bouderie dont, me semblait-il, je ne saurais jamais sortir.

Ainsi arriva pour la troisième fois depuis notre mariage la semaine de Noël. C'était la plus importante des manifestations religieuses et même sociales de son pays, et malgré ses protestations elle s'abandonnait un peu à cette atmosphère de solennité particulière. Toute la ville d'ailleurs y participait, et chaque population se réjouissait à sa manière ; les Juifs n'étaient pas les moins empressés et l'on trouvait des sapins jusque dans les souks musulmans. Je ne pouvais empêcher, quelle que fût ma répugnance, que Marie ne fût prise dans un mouvement si général. Je préférais aussi ne pas trop éclairer ces zones d'ombres troublantes.

Toute la matinée nous courûmes à travers la ville pour acheter des cadeaux destinés aux siens, puis nous confectionnâmes de multiples colis. Vers le soir, elle voulut revoir les magasins décorés et éclairés.

Elle semblait détendue, presque heureuse et, malgré ma lassitude, je l'emmenais de quartier en quartier, content de sa joie. Sur le même thème de la Nativité les étalages rivalisaient d'ingéniosité et de luxe ; une vaste vitrine offrait même une crèche grandeur nature avec des personnages en cire.

Depuis un moment, cependant, l'excitation de Marie avait fait place, me sembla-t-il, à une tristesse un peu nostalgique. Tout en regardant la scène immobile, elle me rappelait comment, chez elle, on se groupait pour chanter, autour d'une crèche et d'un sapin — un vrai, pas un pin comme ici —, la belle voix de basse de son père menant le chœur. Puis elle se tut, reprise par ses souvenirs.

Au bout de quelques pas, hésitant, un peu solennelle, elle reprit :

— Puis-je te demander quelque chose ?

Je m'amusais à répondre avec la même emphase :

— Je suis à vos ordres, Madame.

— Tu ne crois pas que nous pourrions faire... un Noël à Bébé ?

La requête me parut tellement inattendue que j'en restai stupide. Qu'elle pût me demander de pratiquer un rite catholique quand je faisais de si violents efforts pour lutter contre les nôtres, refusés par elle sans nuance, me sembla, au moins, d'un aveuglement bizarre.

— Tu veux rire ? finis-je par balbutier.

Au bouleversement de mon visage et voyant la condamnation de sa nostalgie, ses yeux se remplirent de larmes. Ce fut le pire. Loin d'en être touché, je jugeai son émotion indécente et révélatrice d'une trahison.

Puis je fus troublé par une idée nouvelle. De quel droit, au point où nous en étions, lui interdirais-je de se reprendre, de retourner vers ce qu'elle avait quitté ? Avais-je réussi, moi-même, à rompre avec mon passé et les miens ? Certes, je ne le lui avais jamais promis. Je pourrais lui rappeler, une fois de plus, certaines conversations d'avant notre mariage :

— Je t'avais avertie loyalement de ce que j'étais, tu m'avais accepté...

Elle en convenait, de plus en plus mollement :

— C'est vrai... Mais je ne savais pas...

— Qu'est-ce que tu ne savais pas ?

Elle avait épousé, à Paris, un étudiant, ne différant en rien des autres ; ses origines, sa famille, ses relations, elle n'avait pu les imaginer.

— Je ne pouvais pas savoir que...

Nous nous dirigeâmes vers la voiture, sans plus rien ajouter. Arrivés à la maison, je me retirai dans mon bureau. Je ne pouvais lui donner entièrement tort ; que valait cet engagement, que je lui rappelais si fréquemment, et qu'elle avait pris en aveugle ?

Mais quelles nouvelles difficultés devrais-je encore affronter ? J'avais été forcé, déjà, de remettre en question tout ce que j'étais ; cela ne suffisait plus ; il fallait que Marie redécouvrît ses anciennes valeurs ; que peut-être elle nous les imposât ! Mieux valait le refus immédiat et brutal ! le coup de force !

Lorsqu'elle se décida, tardivement, à m'appeler pour dîner je quittai ma chambre chargé d'une fureur d'infirme. Elle avait passé son temps à ranger ses affaires personnelles — c'était sa manière de fuir sa pensée —, une petite madone en porcelaine, cadeau d'une amie de pension, son missel de communiante, des photographies de famille ; sur une chaise, une pile de livres allemands attendait de partir chez le relieur. A la vue de ces objets, symboles de l'étrangeté que j'avais introduite dans ma vie, je me sentis brusquement envahi d'un sentiment effrayant. Comment ai-je résisté à ce mouvement de folie, à cette furieuse envie de tout briser, de tout déchirer, de tout piétiner ? Je m'entendis hurler :

— Je ne veux plus voir ça ici ! Je veux oublier ! oublier !

Marie restait debout, les mains contre la poitrine :

— Mais qu'as-tu ? balbutia-t-elle, tu es malade ?

— Oui ! Oui ! Je suis malade ! Et c'est toi qui m'as rendu malade ! C'est toi qui m'as démoli !

Je criais d'une voix aiguë, que je reconnaissais mal, accusant au hasard tout ce qui la concernait, ses lectures, sa manière de penser, ses admirations, ses exclusions et jusqu'à sa cuisine et ses habitudes ménagères. Tout cet univers que j'avais cru conquérir en l'épousant, auquel j'étais confronté quotidiennement et jamais à mon avantage ! Pour mieux l'atteindre j'utilisais avec dégoût les locutions et termes mêmes de sa langue maternelle, lui jetant ma répulsion... ma haine, oui peut-être ma haine !

Mes mains tremblaient, j'avais comme envie de frapper. A peine si la peur réelle de Marie me calma quelque peu. Sourdement je continuais à parler et de mes lèvres partaient ces aveux que je n'avais jamais osé faire. Elle sanglotait, effondrée sur le divan.

— Que faire, mon Dieu ? Je n'ai plus personne, ni parents, ni amis, ni rien !

— Et moi ? dis-je durement, crois-tu qu'il me reste quelqu'un ?

— Au moins, tu es chez toi, dans ton pays, au milieu de tes amis !

— Mon pays ! Mes amis ! Tu as tout détruit ! Grâce à toi je suis séparé d'eux mieux que par des milliers de kilomètres !

— Moi ? Mais j'ai fini par tout accepter ! Qu'ai-je fait contre eux ?

— Tu n'avais pas besoin de faire quoi que ce soit, il te suffisait d'être là.

— Mais tu me hais ! cria-t-elle désespérée, tu hais tout ce que je suis... Où puis-je aller ? A qui puis-je me confier ? Je souhaite quelquefois, de croire encore en Dieu, de pouvoir prier !

— C'est bien cela, ironisai-je plus effaré qu'agressif, c'est le grand retour...

— Ah oui, ça m'est égal, je suis battue, je ne veux plus vivre ici, je veux m'en aller...

— Eh bien, rentre chez toi ! Et laisse-moi essayer de vivre !

Et je quittai la pièce, la laissant pleurer devant la table inutilement servie.

*

En mettant la main sur la poignée de sa porte je voulus espérer qu'elle était endormie. La lumière apparut ; je regrettai inutilement de n'avoir pas fui.

Une nuit, je suis sorti, après avoir essayé d'un somnifère qui n'agissait pas. Pauvre banalité de cette fuite, porte claquant derrière moi, malgré le doute cruel où je la laissai. Dehors le silence et l'obscurité, et l'étrange visage fermé de la ville de deux heures du matin, les murs qui de plus en plus chancelaient. Je me hâtai de chercher une chambre, puis subitement je décidai de retourner auprès d'elle et de l'enfant endormi. Nous étions perdus tous les deux sur le même océan et j'avais tenté de me sauver tout seul. Comme si je pourrais jamais partir sans elle ! Allons, la nuit sera affreuse, je le sais ; il faut décharger notre souffrance accumulée, dont j'ignore encore le volume.

Pourtant rien ne vient ; l'orage semble s'assoupir sur lui-même ; il me paraît possible d'espérer le sommeil. Je découvre mon immense lassitude, cette brisure au milieu des jambes et des bras ; c'est la décrue inespérée, voluptueuse. Elle ne bouge toujours pas... Timidement j'éteins : ne pas frôler l'équilibre de cet espoir d'anéantissement.

Combien cela a-t-il duré ? Secondes ou minutes ? Ai-je dormi ? J'ai voracement aspiré toute la substance de cette durée ; j'y étais collé toute chair lorsque d'un coup, brusque comme une déchirure, j'en suis arraché : une corde me liait au quai de ce faux départ : Marie sanglote précipitamment.

Oh, Marie, je suis là ! N'aie pas peur ! Où que je sois, il te suffit de gémir, entre tous les bruits du monde, mes oreilles découvriront l'appel de ton désespoir. J'appartiens aux miens, certes, et je suis d'ici, mais je te portais en moi, bien avant de te connaître ; c'est toi que j'ai été chercher si loin, j'ai épousé ma part d'aventure ! Et quand je me défends contre toi, quand je te meurtris c'est moi-même que je châtie. Mais qui serais-je devenu sans toi ? Voilà ce que, jamais, je n'ai su t'expliquer clairement.

Je rallume ; elle sanglote la figure sur l'oreiller.

— Pourquoi pleures-tu ?

C'est à peine une question, je veux seulement la rassurer. Mais elle m'a trop attendu, trop espéré ; elle me ferme sa porte.

— Pour rien.

Je n'admets pas ce refus ; j'étais prêt à aller vers elle ! Humilié, puni, je répète :

— Pour rien ! On ne pleure pas pour rien !

— J'ai envie de pleurer !

Et elle pleure avec plus d'assurance, plus librement, puisque je suis là. Elle refuse mon aide pour mieux pleurer et me défier.

— Essaye de dormir, décrispe-toi... je vais te préparer un somnifère...

— Dormir ! Tu ne penses qu'à dormir ! Dors, si tu peux, moi, je ne peux pas !

C'est tout ce que je lui offre ! Je sais tout juste conseiller lorsqu'elle porte un poids qui l'écrase ! Je lui touche timidement l'épaule.

— Laisse-moi !

Des deux mains, elle me repousse. Il lui faut beaucoup plus que ces gestes esquissés.

— Et tu disais que tu m'aimais ! C'est ça ton amour !

Elle me paraît alors injuste et insultante. Pourquoi me repousse-t-elle ? Veut-elle seulement la paix ? N'a-t-elle pas besoin, elle aussi, de se déchirer par moi ?

Il vaut mieux me taire. Je me tais. Mais me taisant, je la punis, elle se sent abandonnée ; et nous tournons en rond.

Ces sanglots s'accélèrent, désespérés ; et soudain ils s'arrêtent ; elle se dresse, s'assoit sur le lit, ne pleure plus mais parle d'une voix sans timbre. Un frisson envahit tout mon corps, affleure à mon visage. Elle regarde devant elle et tient un long discours monocorde. De cette voix inhumaine, elle dit l'échec de sa vie, sa rupture définitive avec sa jeunesse et son passé, sa famille et ses amis. Elle dit tout ce que j'étais pour elle, son mari et son amant, son modèle et son seul avenir, puis ses doutes depuis le début, l'ambiguïté de chaque détail, même du meilleur et du plus sûr, son aveuglement presque volontaire, puis son acceptation progressive du drame, son affreuse déception...

— Je ne voulais pas comprendre que lentement tu m'abandonnais, que j'étais en train de tout perdre, que j'avais tout perdu ; lorsque j'ai dû l'admettre, j'ai pensé à mourir...

Elle change encore de voix, qui redevient la sienne, comme si elle se réveillait :

— Qu'est-ce que j'ai ? Ah ! qu'est-ce qui m'arrive ?

D'un coup brusque, elle rejette les couvertures, ses mains se saisissent l'une l'autre.

— Ecoute-moi, la suppliai-je — trop tard ! — nous pourrions essayer...

Elle n'entendait déjà plus ce que je lui disais. Le buste rigide, les yeux hagards, prête à se noyer elle se cramponne au lit.

— J'ai peur ! Mon Dieu, j'ai peur !

Je m'affole avec elle, en équilibre sur ce fil au-dessus du vide :

— Ce n'est rien ! ça va passer !

Des pieds, par saccades, elle repousse les draps et veut quitter le lit. Dominant ma propre peur, je la saisis aux épaules :

— Allonge-toi ! Laisse-toi aller ! ordonné-je.

Le conseil est inutile, elle reste clouée sur le matelas, le bas du corps inerte, seul le buste mouvant, les bras incohérents. Elle porte la main à sa gorge :

— Ah ! j'étouffe ! Je ne peux plus respirer ! Aide-moi !

Elle m'appelle et me repousse de toutes ses forces ; je l'emprisonne dans mes bras, luttant contre elle.

— Lâche-moi ! Je ne respire plus ! Lâche-moi !

Sans lui obéir, je ferme les yeux, essayant de ne pas l'entendre, craignant je ne sais quoi d'imprévisible.

Enfin je sens diminuer cette terrible crispation de tout son corps : nous avions dépassé le sommet.

— Allons, tu vois, un peu d'angoisse... cela passe déjà.

Elle ne se débat plus et je garde ses épaules. Seules ses larmes coulent encore ; où trouve-t-elle encore la force de pleurer ? Mes yeux tirent ; je suis glacé, détruit. Si j'étais seul je m'écroulerais dans un sommeil de trois jours ; est-il si effrayant de ne plus jamais se réveiller ?

Enfin elle se disloque dans mes bras, tous membres brisés, fluide. Un long moment elle est ainsi contre moi, enfant abandonnée. Et j'ai tellement pitié d'elle que mes larmes sont prêtes. Qu'est ce qui mérite de telles souffrances, une telle destruction ? Je lui caresse la tête, ses pauvres yeux rougis et sûrement douloureux. Tout son visage est déformé, les lèvres, les bourrelets des sourcils sont rouges, les plis creusés et pâles. Elle me sourit avec reconnaissance entre ses paupières si gonflées que le regard filtre à peine. Ah si je pouvais redonner la paix à ce visage ! Pourquoi est-ce tellement difficile ! (Au même instant, pensée parasite : comment seraient les traits d'une brune qui aurait pleuré ?)

Elle renifle.

— Je vais te chercher un mouchoir.

Je me lève. Dans la nuit, la lumière électrique, le silence, les objets immobiles, indépendants, mon corps même, tout est si irréel que je me hâte et reviens près d'elle.

— Je t'ai empêché de dormir, s'excuse-t-elle...

— Il s'agit bien de cela... Je vais te donner un cachet.

— Ce n'est pas la peine... Je crois que j'ai très sommeil.

Je l'allonge sur le lit, je la couvre et la borde. Elle est lasse et détendue, lointaine déjà, comme naguère, après nos jeux amoureux.

*

Je m'aperçois alors que je n'ai plus sommeil puisque je n'ai plus besoin de cette fuite. Je tourne dans l'appartement, désœuvré, je bois sans soif et fume ; j'ouvre une fenêtre, et débouche avec étonnement hors de notre drame.

Dehors le monde existe et continue à vivre, loin de Marie endormie, la richesse de la nuit éclate. La ligne perlée des lumières cerne et pointille le trou noir de la ville. De la maison jusqu'au port le relai des bruits recrée cet espace et ce temps dont je connais chaque repère depuis mon enfance ; les grillons le long des vieux remparts, les crapauds jalonnant les mares jusqu'au lac, les chiens protecteurs des jardins, les rapaces situant les grands arbres, la sirène périodique des bateaux, qui ancre solidement la ville au port... Tout cela me sera-t-il un jour rendu ? Cesserai-je d'être ainsi arraché à moi-même ? Retrouverai-je cette bienheureuse coïncidence où j'étais encore à la veille de connaître ma femme ?

Est-il encore temps ? Mon mariage n'a pas été un moment de ma vie, il lui a donné son sens.

La folie de Marie a été de croire que je serais entièrement à elle lorsqu'elle aurait tout arraché de moi, même l'odeur des pierres chaudes et du soleil. Cette femme que j'aime, qui fut le meilleur de moi-même, qui a voulu tout me donner, est devenu le symbole et la source de ma destruction. Je ne suis plus rien qu'un fantôme, mon propre ennemi et le sien. Je l'ai trahie et elle m'a détruit.

Mais, en même temps, je ne peux plus vivre sans elle. Je n'ai plus ni pays, ni parents, ni amis ; et la quitterais-je que je resterais ainsi double, en face de moi-même et juge des miens. Je supporte à peine de vivre avec elle, mais je ne supporte plus de vivre avec personne.

*

Je suis réveillé à l'autre bout d'une nuit sans halte, étonnamment brève, par des sanglots étouffés. Allons-nous, sans forces pour un nouveau déchaînement, nous enliser dans une vase morne ?

— Tu pleures encore ?

— Ce n'est rien... ça va passer.

Je suis soulagé au seul son de sa voix ; c'est un reste, une dernière vague de reflux. Je l'encourage à quitter le lit et elle m'en a de la gratitude. Je me sens calme — de ce calme étrange qui suit l'orage — honteux de ce soulagement d'après chaque saignée.

Après déjeuner elle me rejoint dans mon bureau et tourne dans la pièce, sans mot dire. Je l'appelle, elle se jette dans mes bras. Amour et pitié mêlés, je la serre contre moi. Sans lever les yeux, elle demande :

— Tu n'as donc jamais été heureux avec moi ?

— Non, dis-je doucement.

Elle n'est ni étonnée ni révoltée. Elle vérifiait. Déjà je regrette mon audace :

— Ce n'est pas de ta faute... la manière dont s'est engagée ma vie, peut-être avant que je te connaisse... tu sais, je crois que si je ne t'avais pas connue, j'aurais, tout de même, épousé... une étrangère.

Elle sourit.

— Je ne me sens plus coupable, je crois que je sais tout, maintenant.

Nous nous taisons. Je lui caresse les cheveux. Question pour question, il faut oser :

— Tiens-tu, encore... à vivre avec moi ?

Je n'espérais pas, non plus, de protestations, et elles ne vinrent pas.

— ... Oui, dit-elle enfin.

Puis elle répète, avec entêtement :

— Oui.

A midi, nous sommes presque heureux, comme après un sauvetage. Le bilan devait être fait ; la catastrophe a été évitée.

Le soir, je l'emmenai dans un cabaret. Nous y arrivâmes trop tôt, accueillis dans une salle encore vide par un maître d'hôtel trop empressé. Le temps de nous asseoir et l'orchestre se mit à jouer pour nous seuls. Nous nous regardâmes, je lui saisis la main et des larmes remplirent ses yeux : c'était le premier air que nous ayons dansé ensemble, le soir de notre premier bal à la Cité Universitaire. Petit air banal, mais définitivement associé à notre jeune espoir ; nous étions alors sûrs de notre courage et de notre victoire sur nos faiblesses et les refus des autres.

XVI

Il nous plaît de croire que notre vie est le résultat d'un vouloir constant ; mais comme suite à cette histoire je n'ai rien à proposer qu'une fantaisie du hasard : un de ces jours, dans cette incertitude où nous remettions en discussion notre couple même, Marie m'annonça qu'elle avait un *retard*.

Nous savions tous les deux ce que cela signifiait ; sa santé n'avait pas plus de caprices que son caractère. Elle prit un air fautif comme si elle en était seule responsable et, devant cet événement maintenant absurde, je ne pus jouer la comédie de la joie ou de la fierté virile.

Marie tira une dernière cartouche pour vérifier ce dont elle était sûre :

— Si tu le désires... tu peux me faire quelques piqûres.

Je fus mécontent de sa proposition. Je ne le lui aurais, certes, jamais demandé. Pourquoi indiquait-elle la voie à ma faiblesse ?

Mais après tout, des piqûres ne constituaient pas une épreuve bien redoutable ; tout le monde y avait recours ; c'était une chance à courir. Et bien entendu, nous n'irions pas plus loin. J'aurais voulu le lui dire mais j'avais trop honte de l'espoir que, malgré moi, j'attachais aux résultats de ce traitement.

— Oui, si tu veux, articulai-je.

Et elle n'ajouta rien.

Le lendemain, je lui fis moi-même la première piqûre. Le soir elle tarda à s'endormir. Mal à l'aise, guettant son souffle, je finis par lui demander timidement si elle souffrait.

— Non, dit-elle rageusement, je ne souffre pas ! Cette histoire est trop bête ! je me sens humiliée avec cet enfant dont tu ne veux pas !

Sa passion me fit peur et je fus tenté de protester. Mais nous ne savions plus guère dissimuler. Je bredouillai pauvrement :

— Il n'est pas sûr que tu sois enceinte...

— Assez ! Oh, assez !

Je me demande, toutefois, si j'ai suffisamment compris à quelles limites elle atteignait, si j'ai assez épié la naissance de ce nouveau désespoir. Trop occupé à me condamner moi-même je ne pris pas assez garde à ce qu'elle commençait à penser de moi.

A mon effarement elle se mit à se confesser en public. Nous nous étions souvent étonnés, Marie et moi, de la facilité avec laquelle les gens se livraient au premier venu et de commun accord nous condamnions ce puéril soulagement. Le troisième soir du traitement nous étions invités à dîner chez une dame qui, de notoriété publique, avait eu à souffrir des indignités de son mari.

Subitement véhémente, le visage crispé, Marie

déclara aux assistants sa révolte contre la grossesse et les servitudes naturelles de la femme.

— C'est un état humiliant ! abject ! répétait-elle, on est réduit à une bête !

Cette hargne était chez elle si insolite que tout le monde nous regardait avec attention. J'essayai mollement d'atténuer l'embarras général.

— L'homme est un mammifère... il est soumis à des nécessités naturelles, certes...

La maîtresse de maison éclata d'un rire qui me déconcerta, tant il contenait de mépris. Lorsque nous rentrâmes, je fis reproche à Marie de cette impudeur inaccoutumée. Elle m'interrompit avec cette violence douloureuse dont on use contre les autres pour se punir soi-même :

— Cela m'est égal ! Qu'ai-je encore à sauver ?

— Nous ! aurais-je pu crier, c'est nous-mêmes qu'il faut sauver !

Et ajouter :

— J'en sais le prix ! Qu'est-ce qui nous sépare ? Mon église te condamne ? Je condamne mon église. Ma ville te déplaît ? Nous n'y vivrons plus. Mon groupe ne t'adopte pas ? Il ne sera plus mien. Nous serons seuls ? Mais nous serons libres et neufs ! Sans traditions ni préjugés ; nous nous referons une histoire. Nous garderons notre enfant ; le cauchemar est fini.

Mais nous étions trop bas et la pente trop raide. Elle retira sa main que timidement j'essayai de toucher.

Et c'est dans cette période que mon mariage me devint insupportable. Lorsque, me raisonnant, je cherchais à réaffirmer notre vie, il me semblait opter pour une définitive étrangeté.

J'étais alors saisi de peurs absurdes, d'angoisses nocturnes qui m'affolaient ; comme celui qui, après de multiples encouragements à soi-même, s'est engagé dans un tunnel obscur, puis rebrousse précipitamment chemin, tout courage enfui.

Il fallut admettre enfin que le résultat des piqûres était négatif. Nous prîmes rendez-vous avec le docteur Stora qui l'avait fait accoucher la première fois. Nous n'espérions plus rien mais nous avions besoin d'aller jusqu'au bout de nos preuves.

Marie entra avec lui dans le petit cabinet d'auscultation ; il revint très vite.

— Eh bien, tous mes vœux !

Je ne réussis pas à lui donner le change.

— Il n'était pas attendu ? Ça arrive, ajouta-t-il indifférent.

De peur qu'il ne devinât jusqu'où allait mon refus, je protestai avec chaleur :

— Oh ! il est le bienvenu ! Nous en sommes très heureux !

Puis me sentant deviné, je reculai, pataugeant :

— C'est-à-dire qu'il arrive un peu tôt... notre aîné est encore trop jeune...

Il se fit attentif et précis :

— Je comprends bien... En tout cas, je vous donne mon avis de gynécologue : je suis absolument contre l'avortement. Je vois défiler ici trop de femmes abîmées.

— Mais il n'en est pas question ! protestai-je.

Et en quittant Stora je me sentis comme soulagé. Ainsi ma vie semblait définitivement engagée et mon destin tracé. J'ai éprouvé la même sournoise volupté chaque fois, qu'après de longs efforts, ma liberté se figeait. En rentrant à la maison j'étais sincère au moins de moitié lorsque je dis à Marie, m'émouvant à mes propres paroles :

— Préparons maintenant la venue de Bébé... C'est tout de même un événement heureux !

Nous n'avions, malheureusement, pas les mêmes cheminements intérieurs et, moins impulsive que moi, elle creusait plus continûment ses sillons :

— Non, il n'est pas heureux. Je ne puis oublier que si je n'avais pas été enceinte nous aurions divorcé.

Elle avait prononcé un mot interdit.

— Divorcé ?

Elle haussa les épaules.

Le lendemain matin, après une nuit où nous ne dormîmes guère, l'œil clair, Marie me dit :

— Il vaudrait peut-être mieux que j'avorte.

Je refusai avec une indignation non simulée. Elle cherchait donc à se venger ! elle outrait pour mieux me blesser et me prêtait des faiblesses que je n'avais pas eues !

Mais elle évita la discussion.

— Comme tu voudras, dit-elle.

Elle n'avait nullement essayé de m'injurier, elle commençait, simplement, à me juger d'une manière toute nouvelle.

*

Nous vécûmes ainsi un mois encore. Il ne se passa plus grand-chose, des détails, mais ceux d'une agonie.

Lorsque je le pouvais, avant l'ouragan nerveux qui allait nous emporter, je quittais la maison. Quelquefois elle me fixait et disait :

— Comme c'est facile, n'est-ce pas ? Lorsque tu en as assez tu t'en vas... sale ville où je ne puis me distraire de moi-même !... de toi !

Alors je déposais mes affaires et restais, également prisonnier de sa solitude.

Ces sorties, d'ailleurs, ne me servaient à rien. Je descendais en ville à la recherche d'un visage introuvable ; je regardais les immeubles avec insistance, sans les reconnaître, comme un touriste s'obstine à interroger un pays inconnu. Avec la fatigue de ces longues marches je rentrais plus crispé, plus découragé qu'au départ. Et je la retrouvais intacte, ironique :

— Elle était bien cette promenade ?

Elle ne savait même plus cacher son mépris. Je ne répondais pas et allais dans ma chambre jusqu'à l'heure du repas.

Un samedi soir, au retour d'une promenade en ville avec mon jeune frère, nous étions entrés, à nouveau, dans cette zone de silence à l'air rare. Nous gagnions le même lit mais pour un embarquement sur deux vaisseaux différents ; pour mieux me distraire d'elle, pour quitter le monde où elle se trouve, où gronde notre tumulte, j'ai pris un livre, deux livres, des journaux ; enlevant enfin mes lunettes, dans ce premier brouillard de mes yeux fatigués je ne la vois plus.

Je me dupe, je le sais et c'est pourquoi tant de

précautions. Comment me délivrer de sa présence qui me pèse sur les bras et les jambes ? Comment enfoncer mon regard dans ce texte qui se refuse ? Nous sommes allongés l'un contre l'autre, dans une immobilité si désaccordée à la nuit, au repos, au sommeil de l'enfant... L'affrontement de nos deux silences est tel qu'il me fait grincer des dents.

Elle est étendue sur le dos, les yeux ouverts, les membres raidis, comme un animal qui attend une mort inconnue. Elle baigne dans l'angoisse et ma pitié reflue. Mais comment sortir de mon propre isolement, qui l'emmure ?

Silence ; où se prépare l'allure de notre bataille. Elle dit enfin :

— Je ne voulais pas te blesser... C'était sans méchanceté...

Elle a parlé doucement, avec sollicitude, et je me sens presque désarmé, douloureux :

— Je ne t'en veux pas... Je ne supporte plus rien, tout me bouleverse.

— Qu'ai-je dit de grave ?

— Je ne sais pas... tu ironisais, tu jugeais... tu n'as pas arrêté...

— J'étais amusée.

— Non, dis-je, me durcissant, tu étais irritée ; au cinéma, tu étais furieuse contre les spectateurs, tu les as jugés incorrects, mal éduqués...

Déjà, elle se rembrunit, retrouvant le souvenir de son agacement.

— C'est vrai, ils sifflaient, ils criaient, on n'entendait rien.

— Ensuite ce fut le tour des consommateurs aux terrasses des cafés, tu les as qualifiés de voraces...

— Je me suis étonnée de tout ce qu'ils avalaient.

— C'est leur manière de festoyer !... Puis les enfants, d'après toi, insupportables, capricieux...

— J'ai plaint leurs mères, c'est tout.

— Puis le débraillé et la vulgarité de la foule, puis...

— Vraiment, il n'y a pas de quoi fouetter un chat !

— Peut-être, mais pour moi, c'est insupportable ! Tu ne veux pas comprendre ! Il n'y a pas que la violence qui démolisse, mais aussi la continuité de l'usure ; n'importe qui, soumis à cette constante érosion, finit par se dissoudre. As-tu remarqué l'attitude de mon frère ? Il ne parlait plus, puis il a essayé de t'attaquer ; il t'a reproché de marcher trop lentement, de t'arrêter aux vitrines... des sottises. En fait, il s'est senti attaqué, il avait envie de mordre... Eh bien, moi, je suis soumis à ce tir depuis le début de notre mariage ! Depuis trois ans, tout ce que je sens, tout ce que je suis est remis en question !

Elle écoute, débordée, elle ne sait que répondre. A en parler, mon malaise est comme une douleur assoupie. Et pour ce soir, la discussion pourrait s'arrêter. Mais j'ai pétri sa propre souffrance qui, maintenant, lève malgré elle.

— J'étouffe, murmure-t-elle, je ne vis plus. Je surveille mes paroles et mes gestes, mes pensées. Tout ce que je dis tu l'analyses, tu l'interprètes au plus mal. Souvent je fais de la surenchère, cela m'humilie et ne sert à rien, au contraire cela te crispe. Et quand je vis naturellement, tu en es blessé, je suis pour toi une étrangère hostile !

— Parce que vivre naturellement c'est juger les miens incultes, grossiers et vulgaires ?

Brusquement elle explose, la figure empourprée :

— Mais ils le sont ! Il n'y a pas une seule personne parmi eux que j'aie envie d'approcher ! Je n'aime pas ces gens et je déteste cette ville ! Je ne m'y ferai jamais ! jamais !

Je ressens une espèce de détente, je suis presque satisfait de ces injures. Ma colère peut revenir, légitime.

— Nous y sommes : voilà ta vraie pensée. Eh bien cette ville que tu détestes, c'est la mienne, j'aurais voulu y vivre, ces gens que tu n'aimes pas, ce sont les miens, j'en suis, lorsque tu les méprises tu me méprises aussi.

— C'est absurde ! Tu n'en fais plus partie ! Tu es tellement différent d'eux !

— Cela me regarde. Je ne peux ni ne veux les abandonner, c'est tout.

C'était tout en effet. Nous refaisions une fois de plus l'impossible inventaire. Pouvais-je exiger qu'elle cessât de refuser ce qu'elle jugeait méprisable ou devrais-je supporter, toute ma vie, ce mépris pour les miens et ceux qui leur ressemblent, et dont je me sens responsable ?

Allons ! nous aurait-on transportés à des milliers de kilomètres que nous y aurions emmené nos tourments ! Pourrait-elle ne plus jamais ouvrir la bouche au sujet des miens, de ma ville, de la Méditerranée, du soleil, de l'Orient, des colonisés, des gens de couleur... de tout cet univers qui me constitue et qui précisément nous sépare ?

— Et maintenant, je veux dormir, déclaré-je.

Je me retourne de l'autre côté, inutilement, comme si je jouais un rôle, sachant bien que nous avions à peine commencé.

Ses sanglots, que j'attends, éclatent : l'absurde mécanique se déclenche.

— Oui, je les hais, je les hais ! Ce sont des sauvages ! Je déteste leurs coutumes moyenâgeuses et leur religion de primitifs !... Et ils osent me repousser !

Elle crie, ulcérée :

— Mais tu penses comme eux ! Tu me repousses ! A force de les défendre tu deviens comme eux !

Ah ! si encore je pouvais redevenir comme eux ! Mon malheur est que je ne suis plus comme personne. Je ne sais même pas me défendre contre ce dégoût de moi-même qu'elle me révèle, dont je suis envahi et que j'approuve.

Sans autre espoir que de la faire taire, je crie plus fort qu'elle :

— Assez ! j'en ai assez de ces scènes affreuses ! De ces comédies !

Ce n'est pas exactement ce que j'aurais voulu dire ; tragédies aurait aussi bien convenu.

A ma stupéfaction elle s'arrête, puis répète interdite :

— Comédies ? C'est une comédie ?

Ma colère, à peine repartie, se fige, j'attends ce qui va sortir de son étonnement : alors, sa main se lève et, coup de fouet, claque sur ma figure.

Et nous restons immobiles, spectateurs d'un phénomène déjà passé, qui a eu lieu, c'est probable, puisque nous nous regardons, elle les yeux agrandis, moi la joue brûlante. Nous attendons. C'est vrai, nous en sommes là : pour la première fois de notre vie commune nous avons utilisé la violence.

Elle quitte le lit et se dirige vers la porte. Je ne bouge pas, puis subitement j'ai peur.

— Où vas-tu ?

Elle ne répond pas ; je hurle :

— Où vas-tu ? Réponds !

Mon cri l'accroche, la fait hésiter ; somnambule, elle se remet à marcher ; je la suis. Elle n'allait nulle part, elle gagne la salle de bains et s'arrête au milieu de la pièce.

— Allons, viens, dis-je doucement, viens te coucher.

Le son de ma propre voix, la phrase familière, font reculer un peu l'irréalité ; pour elle aussi, je suppose, car elle éclate, enfin, en sanglots.

— Oh ! je voudrais tant mourir !

— Allons, tais-toi... viens.

— Oh ! que j'ai honte ! J'ai honte !

J'avais honte moi aussi ; et pas seulement d'avoir été giflé. Que pensait-elle de moi pour qu'elle osât ce geste ?

Elle s'est assise sur le tabouret qui la juche insolite au milieu des faïences et des nickels. Pour quel numéro de cauchemar, dans cette lumière de la mi-nuit, théâtrale, durcie à chacun des carreaux ?

Le voici : sans transition, par une mue atroce, ses sanglots se transforment en rire, qui roule, résonne dans la maison presque vide de meubles.

— Arrête ! suppliai-je, arrête !

Elle hoquète :

— Je... ne... peux... pas...

Elle ramène ses jambes, ses pieds, se concentre tout entière, les épaules secouées par saccades, portée par les vagues de son rire.

— Arrête ou je te frappe ! Je vais te battre !

De sa bouche, dans sa figure convulsée, les mots arrivent à peine à sortir.

— C'est ça !... gifle-moi !... Ça me ferait du bien !

Je claque des dents ; je me sens au bord du délire ; je n'ose pas la gifler de peur de perdre tout contrôle de moi-même et de continuer à la battre, de l'étrangler.

— Si tu ne t'arrêtes pas, je vais partir, te laisser seule ! je sens que je deviens fou !

Je serais parti si son rire n'avait commencé à s'épuiser lentement comme un ressort se vide.

Je frissonne. Elle doit avoir froid. Je vais chercher une robe de chambre et lui en couvre les épaules. Elle se laisse faire, hébétée.

— Viens te coucher.

Elle essaye de se lever.

— Je ne peux pas, mes jambes ne m'obéissent pas.

Je la porte jusqu'au lit ; puis machinalement je pratique les rites : arranger l'oreiller, la couvrir, la border. A peine allongée, sa respiration devient égale et bientôt je sombre dans le même sommeil.

*

Le matin, à peine avions-nous ouvert nos yeux encore gonflés d'une nuit trop courte, avant d'aller mouiller nos figures moites, je lui ai dit :

— Je crois qu'il vaut mieux nous séparer... pour toi comme pour moi ; nous finirions par nous détruire l'un l'autre... Si tu es toujours prête à avorter, j'y consens.

Je n'y avais pas réfléchi durant la nuit, j'avais dormi d'une traite ; je découvrais à l'instant une évidence usée, je lui dévoilais un marché déjà conclu en moi-même.

Elle était assise sur le lit ; ses yeux, tout petits, ne se remplirent pas de larmes, son visage ne bougea pas, rendait vaine toute explication. J'avais le dos à la fenêtre et peut-être ne voyait-elle pas ma figure dans la lumière fanée de l'été commençant, peut-être ne devinait elle même pas ce reste d'anxiété qui plissait ma bouche.

Je lui tournai le dos et allai à la salle de bains où, seulement, elle ne vint pas comme d'habitude. Je ne l'entendis pas remuer pendant tout le temps où, dans un calme bizarre, je fis ma toilette. Je voyais, par la fenêtre, la lune inutile, s'attarder sur les collines, alors que le soleil déjà les creusait d'ombre.

*

A midi, je la retrouvai les mains dans les poches de sa robe, comme si elle contenait son ventre. Elle me sourit faiblement et je savais qu'elle sourirait ; légère réparation de quatre heures d'absence. Nous déjeunâmes ensemble, courtoisement, échangeant les quelques mots nécessaires.

— Du vin ?
— S'il te plaît.
— Puis-je avoir du pain ?
— Merci.

Pour la première fois peut-être de notre vie conjugale, nous n'avions rien à nous dire. Après une scène, incapable de sortir de moi-même, je boudais mais je l'épiais avec l'espoir qu'elle parlerait la première ; elle le savait et m'entretenait, malgré ma résistance. Cette fois, je me sentais vide, et elle ne dit rien. Nous avions, je crois, touché le fond.

Elle me demanda de la descendre en ville. Je dis oui sans lui poser de questions. Je conduisis avec tranquillité, lui jetant, de temps en temps, un regard qu'elle ne me rendait pas. Ce n'est que lorsque nous atteignîmes le centre de la ville que le calme sembla s'évanouir. Rapidement, avec une fermeté à peine tempérée par ses yeux mouillés, elle me dit :

— Eh bien, il faut t'occuper de l'avocat, mais vite, je ne veux pas traîner ainsi.

Il me prit une violente envie de la saisir dans mes bras. Mais pour cela même, par égard pour elle, pour qu'elle ne risquât pas de croire, une seconde, que nous pourrions recommencer, je me raidis :

— Bien, dis-je, plus nettement encore que je l'aurais voulu.

Et, avait-elle espéré qu'elle allait m'étonner, que je protesterais, elle se mit à pleurer abondamment, en silence. La tête levée, elle ne cachait pas sa figure et ses larmes coulaient toutes seules sur un visage impassible. Ne la consolant pas, ne la rassurant pas, il me semblait, cette fois, que je me conduisais au mieux. J'évitais de la regarder et, repassant plusieurs fois par les mêmes rues, j'attendais qu'elle me demandât de la déposer.

— Laisse-moi la voiture, dit-elle enfin, j'en aurai besoin cet après-midi.

— Pourquoi faire ?

— Je veux m'occuper de l'avortement.

Je sursautai malgré moi.

— ... Ce n'est pas urgent.

— Si ! Je ne peux pas attendre ! Je ne peux pas continuer à porter en moi cet enfant condamné !

Elle dit cela avec une espèce d'horreur animale, qu'elle découvrit au moment même :

— Oh ! c'est affreux !

Et juste avant qu'elle s'exclame, la même horreur m'atteignit dans son étrangeté viscérale, comme si j'avais moi-même, dans le ventre, un petit être vivant qu'il me faudrait arracher...

Oh ! il ne fallait pas faiblir ! Il ne le fallait pas puisque nous ne pouvions pas vivre ensemble ! puisque nous ne pouvions pas recommencer !

Je détournai la tête pour qu'elle ne vît pas mes propres yeux remplis de larmes à cause de notre enfant promis à la mort avant de naître et de notre pauvre amour perdu.

— Bien, dis-je, fais comme tu voudras.

Je ne pouvais, cependant, la laisser partir dans cet état. Je quittai les rues passantes pour les quartiers tranquilles au bord de l'eau, puis arrêtai le moteur. Elle sanglotait si fort dans le silence des lauriers-roses pétrifiés de poussière que les couples d'amoureux qui surgissaient d'entre les buissons nous dévisageaient avec inquiétude. Quelques jours avant je n'aurais pu supporter cette curiosité. Mais il me semblait que nous n'étions déjà plus dans cette ville, que j'étais de passage au bord d'un lac avec une inconnue ; je ne savais plus d'où je venais, où j'irais après et qui était cette femme. Son désespoir même me parut lointain, me concerner à peine. Je regardai ses traits comme si je les voyais à neuf, ses cheveux tirés strictement, sa peau translucide. Cette impression de nouveauté toujours intacte avait-elle jamais cessé devant Marie ? Non ! jamais je n'aurais eu le courage de vieillir en tête à tête avec elle !

— Cela n'a jamais été possible, affirmé-je à haute voix.

Elle n'eut pas besoin d'explications.

— Et pourtant, dit-elle, tu m'as épousée.

J'hésitai puis révélai ce que je sentais, atroce sans m'en rendre compte :

— Oui, je t'ai épousée... mais tu n'as jamais été ma femme.

Elle sourit de douleur comme les suppliciées puis dit calmement :

— Lâche.

Comment ne l'ai-je pas étranglée ? Je ne le sais plus aujourd'hui ; je me rappelle, cependant, avec précision comment on peut tuer spontanément. Et je l'aurais peut-être fait si, en la tuant, j'avais anéanti cette image de moi-même qu'elle me présentait et où je me reconnaissais, ce masque qui m'enserrait la figure comme une pieuvre. Mais aurait-elle disparu, je saurais toujours, moi, ce que j'étais devenu : un infirme.

Pouvais-je seulement espérer de vivre ? Quels gestes ferais-je qui ne me paraîtraient suspects ?

Je remis le moteur en marche pour occuper mes mains dont j'avais peur. Je roulai cent mètres devant les flamants roses immobiles dans la chaleur, et brusquement affolé, freinai, ouvris la portière et descendis :

— Je m'arrête là, dis-je, tu peux garder la voiture...

Elle passa sur le siège avant et repartit aussitôt, en regardant droit devant elle.

DU MÊME AUTEUR

Récits

AGAR, Gallimard.

LE DÉSERT, Gallimard.

LE SCORPION, Gallimard.

CHRONIQUE DU ROYAUME-DU-DEDANS (à paraître).

LE PHARAON, Julliard.

Essais

PORTRAIT DU COLONISÉ, précédé du PORTRAIT DU COLONISATEUR, préface de Jean-Paul Sartre, Gallimard.

PORTRAIT D'UN JUIF, Gallimard.

LA LIBÉRATION DU JUIF, Gallimard.

L'HOMME DOMINÉ (le Colonisé, le Juif, le Noir, la Femme, le Domestique), Gallimard.

LA DÉPENDANCE, Gallimard.

LE RACISME (analyse, définition, traitement), Gallimard.

CE QUE JE CROIS, Grasset.

L'ÉCRITURE COLORÉE OU JE VOUS AIME EN ROUGE, Périple.

PORTRAIT DU DÉCOLONISÉ ARABO-MUSULMAN ET DE QUELQUES AUTRES, Gallimard.

Poèmes

LE MIRLITON DU CIEL, poèmes illustrés de neuf lithographies originales par Albert Bitran, Éditions Lahabé.

Entretiens

ENTRETIEN, l'Étincelle, Montréal, Québec (épuisé).

LA TERRE INTÉRIEURE, Gallimard.

Divers ouvrages, dont :

ANTHOLOGIE DES LITTÉRATURES MAGHRÉBINES, Présence Africaine, sous la direction d'Albert Memmi :

tome I : Les écrivains maghrébins d'expression française (épuisé).

tome II : Les écrivains français du Maghreb.

ANTHOLOGIE DES ÉCRIVAINS FRANCOPHONES DU MAGHREB, Laffont.

LE ROMAN MAGHRÉBIN, Fernand Nathan.

LES FRANÇAIS ET LE RACISME enquête en collaboration, Payot.

En livres de poche

LA STATUE DE SEL, Gallimard, Folio.

AGAR, Gallimard, Folio.

LE SCORPION, Gallimard, Folio.

PORTRAIT DU COLONISÉ, Payot, Petite Bibliothèque Payot, et Franco-Poche.

PORTRAIT D'UN JUIF, Gallimard, Idées.

LA LIBÉRATION DU JUIF, Payot, Petite Bibliothèque Payot.

L'HOMME DOMINÉ, Payot, Petite Bibliothèque Payot.

JUIFS ET ARABES, Gallimard, Idées.

LE RACISME, Gallimard, Idées.

Impression Novoprint
à Barcelone, le 8 novembre 2004
Dépôt légal: novembre 2004
Premier dépôt légal dans la collection: août 1984

ISBN 2-07-037584-6./Imprimé en Espagne.